Les Intouchables

Gilles Fontaine

Les Intouchables

SEUIL

Photographies de couverture :
© Yuri Arcurs/Shutterstock ;
© Rui Vale de Sousa/Shutterstock ;
© Mimage Photography/Shutterstock ;
© Gwoeii/Shutterstock.

ISBN 978-2-02-108657-7

Conforme à la loi n° 49-956 du 16 juillet 1949
sur les publications destinées à la jeunesse.

www.seuil.com

Pour Sophie

1. Premiers symptômes

À sept heures moins le quart, l'appartement est saturé d'informations contradictoires. Les radios-réveils, le transistor dans la cuisine et celui dans la salle de bains. Pas un réglé sur la même fréquence. Musique pour Lina, les infos pour mes parents (mais ils ont chacun leur station préférée), et pour moi… je change en fonction de mes humeurs. Une cacophonie dans laquelle nous grappillons quelques mots en passant de pièce en pièce, pressés, déjà en retard, comme tous les matins. En rien le plaisir avec lequel je m'endors chaque soir, après avoir réglé la minuterie, écoutant les voix des animateurs qui se brouillent peu à peu quand je sombre dans le sommeil.

Les phrases qui s'entremêlent ce matin parlent de ministres que je ne connais pas, de résultats de foot, d'une inondation en Asie et toujours du virus. Je ne me souviens plus depuis combien de temps l'épidémie fait les gros titres des journaux. Trois ou quatre semaines, peut-être… et il me semble que cela revient de plus en plus souvent. Non pas que nous soyons en danger : la maladie s'arrête aux portes de l'Europe, paraît-il, mais c'est sans cesse une litanie de mauvaises nouvelles, d'entreprises fermées, d'hôpitaux saturés, de couvre-feu en Amérique du Sud ou en Afrique.

J'habite à dix minutes du lycée, mais je pars toujours en avance, parce que j'aime les quelques minutes que nous passons ensemble, mes amis et moi, avant le début des cours, sur le grand parvis. Lina, elle, est encore à l'école primaire. C'est au bout de la rue, et pourtant elle est toujours en retard ; elle quitte l'appartement à la dernière minute, ses tennis encore délacées, un livre sous le bras.

Le jour se lève à peine ; chacun arpente les trottoirs les yeux baissés en suivant son chemin mécaniquement. Il fait froid, nous entrons dans l'automne. Les températures descendent vite dans notre ville située au pied des montagnes.

– Thomas !

Matthieu débouche d'une rue. Nous nous retrouvons en route presque chaque matin. C'est mon meilleur ami, pourtant si différent de moi. L'intellectuel parfait – c'est d'ailleurs son surnom au lycée : l'intellectuel. Fan de sciences, collectionneur passionné – timbres, vinyles, journaux étrangers – et allergique au sport. Plutôt petit, lunettes, et un éternel manteau bleu nuit que sa mère lui a acheté sans lui demander son avis.

– Ça va ?

Je ne réponds pas, c'est simplement une formule de politesse, une manière de renouer le contact. Nous marchons silencieusement, en phase avec le jour qui se lève : les lampadaires s'éteignent à notre passage, comme par magie.

Et puis nous y sommes. Une petite foule est rassemblée devant le portail. Je fréquente un vieux lycée, comme on en trouve dans les centres-ville. Des bâtiments anciens – il y a même une statue de Jeanne d'Arc dans la cour – défigurés par des constructions modernes ajoutées quand il a fallu agrandir l'établissement. Mais je préfère être au centre que dans un lycée moderne de banlieue, loin des cinémas et des cafés, condamné à des heures de bus chaque jour.

Lucie et Benjamin sont déjà arrivés. À quelques mètres, j'entends la voix de Franck, celui qui se veut le leader de notre classe. Inutile de me retourner, j'imagine que nous sommes la cible de ses commentaires sarcastiques, comme toujours. C'est ainsi qu'il soude son groupe autour de lui : en s'en prenant à d'autres, le plus souvent par des moqueries que sa petite cour se croit obligée de saluer de grands rires. Parfois, c'est plus agressif : il en vient aux menaces. Je ne devrais pas y prêter attention, mais ça me met mal à l'aise. Franck veut qu'on lui prête allégeance, comme des vassaux à leur seigneur. Je n'ai pas peur de lui, mais ça ne me plaît pas, cette hostilité et cette malveillance gratuite.

– Hé ! Thomas !

C'est parti…

– Ne lui réponds pas, chuchote Lucie.

Je hoche la tête mécaniquement, essayant de me persuader qu'elle a raison. Elle est épaisse comme un roseau, le corps sculpté par des années de danse classique, et elle a une volonté de fer. Je pense souvent qu'à avoir tant écouté de musique tout au long de ses séances de barre, elle saisit mieux que moi le tempo des situations, le rythme auquel nous vivons.

– Thomas, allez, approche ! N'aie pas peur !

Elle pose la main sur mon bras, mais je n'ai pas l'intention de me laisser humilier. Je me dirige vers lui ; il me regarde, narquois, et je le trouve tellement ridicule avec ses jeans trop serrés, ses boots et sa parka militaire… Tout en lui respire le faux, l'image fabriquée, les heures passées devant le miroir à soigner le moindre détail de son apparence.

– Tu veux sortir avec nous, samedi soir ? On se fait un bowling.

Je suis surpris ; je me demande s'il parle sérieusement. J'ai envie de dire non, tout de suite, mais finalement pourquoi pas ? C'est peut-être le moyen d'en finir avec les provocations. Je le fixe : il a l'air sérieux, et ses amis sont aussi stupéfaits que moi. Je me lance :

– Pourquoi pas… Il faut que j'en parle aux autres…

Ses yeux deviennent plus durs. Ce n'est apparemment pas ce qu'il veut.

– Je ne t'ai pas parlé des autres… Toi, c'est tout.

Une de ses copines commence à glousser.

– Le samedi, je sors avec mes potes, comme toi…

C'est lui qui est incrédule, maintenant. Il me fait l'honneur de me proposer de me joindre à lui et je refuse son invitation. Je comprends son manège à présent. Diviser pour mieux régner : il espère faire éclater notre petit groupe en me ralliant à lui.

Tout est dit. Je fais mine de m'éloigner, mais il me retient par l'épaule. Le froid m'envahit : est-ce que c'est maintenant ? Ma première bagarre, l'épreuve du feu ? La sonnerie m'empêche de savoir si j'aurais eu le courage. Il me lâche, je retrouve mes amis. Benjamin, ses cheveux blonds en bataille, vient aux nouvelles :

– Qu'est-ce qu'il voulait ? Partager son quatre heures ?

C'est son talent, à Benjamin : créer le décalage, nous faire voir l'ironie des situations. Notre physique est-il toujours le reflet de notre caractère ? Benjamin, lui, a toujours le sourire aux lèvres et les yeux brillants.

La prof de français fait tout son possible pour nous intéresser et elle y parvient. *Les Fausses Confidences* de Marivaux : elle nous raconte si bien l'amour et la passion qu'on ne peut que se sentir concerné ; même ceux qui, habituellement, profitent du cours pour terminer leurs exos de math.

– ... et donc, quelle différence feriez-vous entre l'amour et la passion ?

Les réponses fusent, on ne s'entend plus, mais la prof n'a pas l'air d'être gênée. Elle aime ces discussions spontanées, comme si nous bavardions autour d'un café, tard dans la nuit. Nos réponses sont banales, je crois : la passion, c'est le début de l'amour, ou encore : la passion est animale, ce genre de chose. Puis une voix claire s'élève dans la classe :

– La passion, c'est aimer l'amour plutôt qu'aimer quelqu'un.

Silence immédiat. Lucie a énoncé l'évidence qu'aucun d'entre nous n'aurait su exprimer. La prof s'approche d'elle.

– C'est ça, c'est exactement ça !

Mon amie m'impressionne. Elle semble avoir réfléchi à tous les sujets bien avant qu'ils ne viennent à l'esprit des gens de notre âge. Je connais peu de choses de sa vie : Lucie déteste parler d'elle. Mais elle doit avoir déjà vécu intensément pour être si mûre.

Mais les éloges de la prof sont interrompus. L'un des surveillants responsables des secondes entre dans la classe sans frapper pour nous informer que nous sommes tenus de nous présenter au rassemblement qui aura lieu dans la cour, à treize heures trente.

Il aurait fallu jouer des coudes au self pour être à l'heure à la convocation ; nous avons préféré sortir pour acheter de la nourriture chinoise dans un petit resto voisin.

Nous nous posons sur des bancs du cours Mirabeau, remerciant le ciel de nous avoir épargné la pluie. Entre deux nems, la conversation porte évidemment sur la réunion. Les hypothèses se multiplient : rappel à la discipline, selon Matthieu ; je pense à une réorganisation générale des bâtiments. Benjamin se demande en plaisantant s'ils ne vont pas annoncer des vacances immédiates et à durée indéterminée. Mais, d'après Lucie, rien de cela ne mériterait plus qu'un mot dans le carnet de liaison – enfin, évidemment, sauf si Benjamin a raison. De toute façon, il est l'heure, nous allons être fixés.

La cour est bondée. Certains élèves se sont assis sur les rebords des fenêtres du rez-de-chaussée pour mieux voir. Devant le bâtiment B, on a installé le micro sur pied qu'on utilise pour les grandes occasions, à chaque rentrée des classes ou quand le proviseur essaie de mettre un peu d'ordre. Toute l'administration est là, en haut des marches, attendant que le brouhaha se calme. Je remarque trois militaires en uniforme sur le côté de la cour.

Enfin, le proviseur prend la parole.

– Je vous demande un peu d'attention. Ce que nous avons à vous annoncer est assez important.

Un silence relatif s'installe.

– Vous avez tous entendu parler du virus qui touche de nombreux pays depuis quelques mois. Le virus Zéro, comme l'ont baptisé les scientifiques.

Je ne m'attendais pas à ça. Les autres non plus, on dirait. Cette fois, il n'y a plus un bruit dans la cour.

– Il n'y a aucune raison particulière de s'inquiéter, mais nous pensons… enfin, le Ministère pense, qu'il est nécessaire de prendre quelques précautions. Et nous sommes concernés, car, comme vous le savez, le Zéro s'attaque surtout aux enfants. Aux adolescents, pour être exact.

– Donc certains sont plus concernés que d'autres, me glisse Benjamin. *Nous.*

Des murmures s'élèvent. Le proviseur les fait taire d'un geste de la main. À nouveau, il capte notre attention.

– Des tests sont nécessaires pour mieux comprendre si nous sommes menacés. Il est possible que le virus reste dormant un certain temps, mais une technique de dépistage a été mise au point. Elle permet de déceler son existence avant même qu'il ne produise ses premiers effets. En l'absence de tout symptôme.

Il bute sur les mots, hésite.

– Il nous cache quelque chose, ou bien il n'est pas d'accord avec ce qu'il est obligé de nous annoncer, dit Lucie.

Les symptômes. Nous les avons tous en tête, grâce aux images des journaux télévisés. Au début, la fièvre, intense, comme pour une grosse grippe. Puis les plaques rouges sur le corps, les cheveux qui tombent par poignées, les muscles qui s'atrophient.

– Ça craint ! Je crois que c'est contagieux.

Je peux me tromper, mais je devine que la voix de Matthieu tremble légèrement. Avec son goût pour la science, il doit en savoir bien plus que moi sur le Zéro. J'en ai immédiatement la confirmation :

– Il paraît qu'on l'a appelé Zéro parce qu'il n'y a aucune guérison possible… Zéro comme zéro chance !

Un petit vent de panique souffle maintenant dans la cour. Nous essayons de comprendre le discours du proviseur. Est-ce que le virus est là, déjà ? Est-ce que nous sommes… infectés ?

Il doit le sentir, car il reprend son discours, d'une voix plus forte. Son débit se précipite, comme s'il avait hâte d'en finir.

– Ces messieurs…

Il désigne les trois militaires.

– Ces messieurs sont là avec leur équipe. Pour faire des tests. Mais je vous le répète, il n'y a aucune raison de s'inquiéter.

Une voix s'élève de la foule des lycéens.

– Des tests à qui ?

– Tout le monde, tout le monde doit passer les tests. Ça va prendre un peu de temps, sans doute une bonne partie de l'après-midi. Je suis sûr que vous ne vous plaindrez pas de manquer quelques cours, si ?

Sa plaisanterie tombe à plat.

– Je dois partir, moi ! crie quelqu'un. J'ai un entraînement !

C'est Franck, j'ai reconnu son ton agressif. Mais je dois dire qu'à cet instant, je le comprends.

– Je suis désolé, c'est valable pour tout le monde.

– Rien à faire !

Franck fend la foule, et nous le regardons tous se diriger vers le portail. Mais d'autres soldats apparaissent – sans doute se cachaient-ils dans la loge du concierge – et lui barrent le chemin. Et là, on comprend que le lycée a été investi par l'armée, et c'est tellement anormal que nous en restons abasourdis.

– Absolument tout le monde, reprend le proviseur en colère. Vous allez regagner vos classes, et les équipes passeront pour les prélèvements. Maintenant !

– Moi, je préviens mes parents !

Matthieu compose déjà le numéro sur le portable. Il attend, recommence.

– Pas de réseau ! C'est dingue, ça n'arrive jamais.

Je n'arrive pas non plus à me connecter.

– Ça existe, explique Matthieu. Des émetteurs qui brouillent les portables. Ils s'en servent avant d'attaquer les planques des terroristes.

– T'es pas sérieux ?

Mais je sais bien que ce n'est pas le cas. Ça ne *peut* être le cas. Les militaires, les examens, les portables qui ne passent plus. Ça ressemble à une crise ; ça ressemble à la guerre.

Nous obéissons.

– Ça va prendre des heures ! gémit Benjamin.

Même lui ne sourit plus.

Et ça dure effectivement longtemps, très longtemps. En fait de prélèvements, il s'agit de prises de sang. Après une heure d'attente, un infirmier débarque dans notre classe. Ce que nous apprécions encore moins, ce sont les deux soldats qui gardent la porte.

– Ça va bien comme ça, proteste Franck.

– Allez, sois gentil, relève ta manche, on va faire ça tranquillement.

L'infirmier est grand, imposant. Il doit être habitué aux cas difficiles, aux malades agités, aux prisonniers récalcitrants.

– Ben non, justement. Pas gentil. Et on ne se tutoie pas, en plus.

La classe fait bloc derrière Franck. Mais le type en blouse blanche en a vu d'autres. Il ouvre sa sacoche et aligne les seringues sur le bureau.

– On y va, maintenant. Toi, pour commencer.

Il désigne Matthieu ; comme s'il avait senti le maillon faible du groupe.

Franck ne supporte pas qu'on lui donne des ordres.

– Ne bouge pas, Matthieu !

L'infirmier nous observe quelques secondes ; il évalue le rapport de force. Franck pousse son avantage. Il balaie d'un revers de main les seringues. Les deux soldats qui gardent la porte ont compris que nous ne nous laissons pas faire. Ils entrent dans la classe, la main au niveau de la hanche, tout près de la matraque. Certains d'entre nous essaient désespérément d'utiliser leurs portables mais rien à faire, toujours pas de signal.

Le visage de Matthieu a perdu toute couleur, ses lèvres sont pincées, il va s'affaisser ; je le retiens et je l'aide à s'asseoir.

– Je n'arrive plus à respirer, Thomas. Je veux partir d'ici.

– Calme-toi ! C'est juste une prise de sang.

Je sais bien qu'en réalité, c'est surtout la tension entre Franck et les militaires qui perturbe Matthieu. J'attrape Franck par le bras.

– Arrête, ça ne sert à rien.

– D'accord, vous vous dégonflez !

Il faut une bonne heure pour que l'infirmier termine les prélèvements. Personne ne dit rien pendant qu'il insère l'aiguille puis appose le pansement au creux de nos coudes.

Enfin, c'est fini.

– Les soldats vont vous raccompagner à la sortie du lycée, annonce l'infirmier. Vous devez sortir directement.

– Quand aura-t-on les résultats ? demande Matthieu.

– Ça, ce n'est pas moi qui décide, mon gars.

Son ton ne nous plaît pas, mais personne ne réplique parce que l'après-midi a été long. Dans la cour, on nous fait ranger en file indienne, et j'ai l'impression d'être revenu à l'école primaire. Deux autres classes sont en train de sortir en silence, et nous convergeons vers le portail. Les militaires nous laissent sortir après avoir vérifié que nous avons bien tous été testés.

Dehors, des parents attendent, excédés. Ils nous bombardent de questions, demandant des nouvelles de leur fille ou de leur garçon. Nous répondons à peine, parce que nous sommes restés isolés depuis le rassemblement.

– On dirait un de ces films, me dit Lucie quand nous nous éloignons du lycée.

– Qu'est-ce que tu veux dire ?

– Tu sais, un de ces films de guerre, quand les prisonniers reviennent et que sur le quai les femmes leur montrent des photos, et leur demandent s'ils n'ont pas rencontré leur mari, là-bas, au camp.

– Tu crois qu'ils avaient le droit ? De nous obliger à rester au lycée ? De nous faire ces analyses ?

– Le proviseur avait l'air d'accord, et c'est lui, la loi, non ?

Benjamin n'a pas vraiment l'air de croire à ce qu'il dit et Lucie résume notre impression à tous quand elle ajoute :

– Je ne suis pas sûre qu'il ait eu le choix.

Bien sûr, mes parents montent sur leurs grands chevaux quand je leur raconte ma journée. Moi, je suis un peu assommé par les événements. Maman, maladroitement, en rajoute un peu :

– Tu es fatigué ? C'est sûrement cette piqûre, je suis sûre qu'ils vous ont pris bien trop de sang, et qu'ils vous...

Elle ne termine pas sa phrase, mais j'ai compris : qu'ils nous ont injecté quelque chose. Je n'ai pas besoin de la paranoïa de ma famille en plus de la mienne, et je préfère aller me coucher. Avant de quitter le salon, j'entends mon père annoncer qu'il va écrire. Écrire à qui ? Je doute que le lycée réponde, et encore moins l'armée. Visiblement, maman a une meilleure idée : elle est documentaliste à Cobalt, une radio locale. Le lendemain, elle en parlerait aux journalistes :

– On verra bien s'ils refusent de nous donner des explications, quand ça sortira dans la presse.

Avant de m'endormir, sa phrase tourne et retourne dans mon esprit. Qui sont ces « ils » qui devraient nous donner des explications ? Et je réalise que personne n'a parlé du plus important, sans doute parce que c'est bien trop inquiétant : est-ce qu'ils vont nous trouver quelque chose ?

Est-ce que je suis *malade* ?

2. Poussée de fièvre

Les médias n'arrêtent pas d'en parler : tous les lycées de France ont été logés à la même enseigne. Des moyens inouïs ont été mis en œuvre pour cette opération et, dès le lendemain, les ministres de la Santé et de la Défense se sont invités au journal télévisé pour se justifier. Un reportage-choc rappelle les conséquences du virus sur la santé. Après ça, difficile pour le journaliste de critiquer l'envahissement des établissements scolaires et la séquestration des lycéens. « Principe de précaution », répondent les ministres. « Protection de la santé publique ». « Sécurité de la population ». À la fin, le journaliste ose quand même :

– Est-ce que le besoin d'assurer notre sécurité ne doit pas prendre en compte le respect des libertés ?

Le ministre de la Santé, sans doute le plus diplomate des deux, se charge de la réponse :

– Attendez, attendez... Qui pourrait nous reprocher de prendre toutes les assurances pour que notre pays soit épargné par cette terrible épidémie ? C'est le chaos, partout, vos images le montrent parfaitement. Personne n'a été *retenu*, nous avons juste cherché à organiser au mieux les tests dont nous avions besoin. Mon collègue et moi espérons, pardon, nous sommes *convaincus* que ce léger désagrément permettra de faire progresser notre connaissance de la maladie et de nous protéger tous.

Nous regardons la télévision en famille, et je cherche à déterminer ce qui me gêne dans le numéro des deux ministres. Et puis je comprends.

– On dirait bien qu'il y a deux groupes, non ? Les méchants lycéens malades qui pourraient contaminer tous les autres ? C'est bien ça, qu'il dit ?

– Je crois surtout qu'ils cherchent à nous faire peur, Thomas.

C'est un vieux cheval de bataille de maman : les pouvoirs se maintiennent en place en terrorisant les citoyens.

– Des images horribles en boucle à la télé, pour bien nous effrayer… À chaque année sa peur nouvelle : le tsunami, la vache folle, la grippe aviaire, le réchauffement climatique. Et maintenant, le Zéro.

Ça nous fait rire de la voir s'emporter. Elle s'en rend compte et sourit à son tour, mais elle continue :

– Quand on a peur, on fait trop confiance à ceux qui nous dirigent. Le problème, c'est qu'on arrête de penser !

– C'est ça, maman, se moque Lina. N'empêche que je suis contente qu'ils ne viennent pas à l'école. Je ne veux pas qu'on me prenne mon sang !

Je ne peux pas laisser passer ça :

– Et si ça recommençait l'année prochaine ? Et dans deux ans, quand tu seras au collège ?

Papa ramène la discussion sur ses rails.

– Ce qu'ils n'ont pas dit, c'est ce qu'ils cherchent vraiment. Toutes ces émissions qui nous montrent des images terribles, et bien sûr il faut des responsables. Pourtant, si j'ai bien compris, personne ne sait vraiment comment elle se transmet, cette maladie. Je ne vois pas pourquoi ils s'intéressent spécialement aux ados. Et je n'ai jamais lu nulle part qu'ils sont particulièrement touchés... C'est quand même bizarre...

Ce n'est que bien plus tard que je comprendrai à quel point il était loin du compte. Très loin du compte.

***

Au lycée, les jours qui suivent, nous interrogeons les responsables de l'administration, mais personne ne semble savoir si nous aurons un jour les résultats des prélèvements. Les lettres des quelques parents qui se sont résolus à écrire sont, bien sûr, restées sans réponse. Pendant quelques jours, la routine reprend son cours. Math, français, anglais. Histoire, SVT, sport.

Mais quelque chose a changé. Un matin, alors que je suis arrivé plus tôt que mes amis, je tombe nez à nez avec Franck. Lui aussi attend sur le parvis devant le lycée, désœuvré. J'engage la discussion, presque sans le vouloir.

– C'était plutôt courageux, ce que tu as fait l'autre jour…

– Avec les flics ?

– Les militaires, plutôt…

– Ouais, tout ça c'est pareil…

Il renonce à vouloir m'impressionner. Peut-être parce que, cette fois, nous sommes seuls et qu'il n'est pas en représentation.

– Tu sais, je n'ai pas vraiment réfléchi. Ça m'a gonflé de voir qu'ils se croyaient tout permis. Ils débarquent ici, et voilà, il faut obéir, et gentiment en plus. Je veux dire, le lycée… c'est pas le paradis, et ça me rend dingue la plupart du temps, mais c'est à nous. Le proviseur et les autres, je suis sûr qu'ils croient qu'ils nous accueillent chez eux, mais si tu y penses deux secondes, c'est l'inverse. Tu vois, l'autre jour, quand ils ont appelé des renforts… J'ai eu l'impression qu'ils faisaient venir les flics – oui, je sais, l'armée – parce qu'ils n'arrivaient pas à nous tenir.

– Je ne suis pas sûr que ce soit le proviseur qui les ait appelés. Je me suis dit qu'il n'avait pas eu trop le choix.

– Eh ben c'est encore pire ! Qu'ils ne viennent pas nous dire après ça qu'ils sont là pour faire notre bonheur !

– Oui, je comprends. N'empêche, tu es le seul à avoir bougé.

Je me dis que c'est le moment d'en finir avec notre guérilla ridicule.

– C'est dommage que…

– … qu'on se cherche pour rien ? Qu'est-ce que tu veux, c'est le jeu. On a tous un rôle, toi comme moi. Et vous m'agacez, toi et tes potes… mais c'est pas grave, c'est pas grave. Tu vois, j'ai aussi compris ça, l'autre jour : il faudrait qu'on se serre les coudes quand il arrive un truc de ce genre… Même si vous vous êtes tous bien planqués !

Il sourit, conscient qu'il a été moins héroïque que coléreux.

La place commence à se remplir, et nos amis respectifs arrivent les uns après les autres. Franck et moi, on se sépare et on retourne chacun à nos habitudes, avec l'impression que ce moment de complicité, dans une rue mouillée des pluies de la nuit, à peine éclairée par les phares des voitures anonymes, aura une suite.

***

Maman a parlé à son collègue journaliste, Antoine Lenoir. Avant de se poser dans notre ville, il a beaucoup voyagé comme grand reporter, et il s'ennuie un peu à traiter l'information locale. Il est déjà venu dîner deux ou trois fois à l'appartement. Il a la quarantaine, et c'est le genre de type qui essaie de ne pas vieillir, avec son blouson de cuir et son MP3 vissé sur les oreilles. Il a senti qu'avec le virus Zéro il y avait une bonne histoire à raconter, et il est parti aux nouvelles. Il a des contacts un peu partout à Paris, dans les ministères, dans les grands journaux. Après avoir passé plusieurs jours sur place à fureter, il prend un café avec maman et moi, à quelques dizaines de mètres de la radio.

– Le plus étonnant, c'est ça, commence Antoine : personne ne sait rien, ou presque. Pourtant, tu imagines le nombre de personnes impliquées... Je ne suis même pas arrivé à savoir où ont été regroupés les échantillons de sang. Mon hypothèse, c'est qu'il y a plusieurs endroits, bien sûr. Un seul labo ne parviendrait jamais à traiter des centaines de milliers de prélèvements. Le mystère, c'est à qui sont envoyés les résultats.

– Mais sait-on au moins ce qu'ils cherchaient, en faisant ces tests ? demande maman. Ils n'ont pas visé les lycéens par hasard.

– Non bien sûr... Un autre café ?

– Bien sûr ! On ne te laisse pas avant que tu nous aies dit tout ce que tu sais.

– Ça va être rapide, alors. Comme je n'arrivais pas à savoir *comment*, je me suis intéressé au *pourquoi*. Mais le bilan n'est pas meilleur. Ce qui m'a frappé, c'est le jour où les deux ministres sont venus s'expliquer à la télé. Enfin, si on peut parler d'explications... Je me suis dit qu'ils devaient bosser ensemble, là-dessus. Et j'ai cherché une organisation qui dépendrait à la fois de la Santé et de la Défense.

– Et rien, j'imagine ?

– Ben si, justement ! Ravale ton ironie. Tu parles au journaliste qui a... Bon bref, je vous raconterai mes faits d'armes un autre jour... Il y a bien un organisme, il semblerait. Le CSS. Ça veut dire Centre Stratégique de Santé. D'après ce qu'on m'a dit, ils travaillent d'habitude sur les armes biologiques.

– Jamais entendu parler..., s'étonne maman. Tu as découvert ça comment ?

– J'ai un pote journaliste à *Libé*. Un type de la Défense lui a montré une note signée du Premier ministre qui donne tous les pouvoirs au CSS pour faire face au risque de contagion.

– Et c'est tout ?

– Bien sûr, j'ai voulu les contacter, mais tu vas rire, impossible de trouver leurs coordonnées. Comme si ces types n'existaient pas ! Même Google ne donne rien.

– Et donc ?

– Donc, il va falloir que vous vous contentiez de ça. Et moi, il va falloir que j'y aille. Un reportage palpitant qui m'attend sur les vendanges !

Quelques jours plus tard, les premiers cas de virus Zéro font leur apparition en Europe. Encore une avalanche d'informations qui envahit les écrans de télévision. On nous explique qu'il fallait s'y attendre, parce que les frontières sont insensibles aux épidémies. Même si on ne sait toujours pas comment se propage la maladie (en tout cas, on ne nous le dit pas dans les médias), on dirait qu'elle s'insinue avec les voyageurs qui débarquent dans les aéroports, qu'elle s'invite dans les containers déchargés sur les quais des ports. Ou peut-être est-elle simplement poussée par les vents ?

Nous sommes submergés d'images ; les caméras de télévision, les appareils photo des reporters semblent être partout. Dans le sud de l'Espagne, on nous montre des médecins qui s'affairent, circulant dans un camp de réfugiés entre les grandes tentes où s'entassent les malades ; en Angleterre, ce sont des militaires qui filtrent les voyageurs un par un dans le hall de débarquement de l'aéroport de Londres ; dans une grande ville d'Europe de l'Est, les files d'attente paraissent s'étirer sur des centaines de mètres devant un hôpital.

Nous commençons à nous sentir vraiment concernés. Mes parents, persuadés que les médias en faisaient trop quand la maladie était cantonnée loin de chez nous, changent progressivement d'attitude. À table, au dîner, ils s'interrogent sur les précautions à prendre et commentent les dernières rumeurs : il y aurait un cas à Marseille ; des stocks de vaccins seraient prêts – alors que la télévision nous dit qu'il n'existe aucun remède contre le Zéro ; il faut se méfier de l'eau du robinet ; il faut rester chez soi ; il faut sortir en pleine journée, car le virus résiste mal à la chaleur.

Ma grand-mère – la mère de papa – appelle tous les deux jours. Elle habite un petit village, loin de tout, et s'inquiète de ne pas pouvoir rejoindre facilement un médecin si elle ressent les symptômes. Mon père doit lui promettre qu'il accourra dès qu'elle le lui demandera. L'épidémie occupe toutes nos conversations, au point que Lina en fait des cauchemars terribles.

***

Un matin, quand j'arrive au lycée, des camions stationnent sur la place. Ils ressemblent à ceux de la transfusion sanguine. Des infirmiers (en tout cas, ils portent des blouses blanches) sont postés de part et d'autre du portail et distribuent à chacun d'entre nous un masque en tissu. Quelques mètres plus loin, les surveillants nous ordonnent de les placer sur nos visages. Lucie est avec moi. Je lui demande :

– C'est un exercice, ou quoi ?

– Je ne crois pas… Ils doivent s'attendre à des cas chez nous, ici en ville. En tout cas, ils visent les lycées et les collèges. D'abord les prélèvements, maintenant ça…

– Attends… Les masques, ça veut dire qu'on est contagieux, non ? Juste nous ?

– Ce qui est sûr, c'est qu'ils n'ont pas fait d'analyses dans les écoles, et dans les entreprises non plus.

– Mais on n'a même pas eu les résultats !

– Eh bien on dirait qu'ils ont trouvé quelque chose…

Je ne sais pas pourquoi nous obéissons si facilement aux ordres des surveillants. Mille deux cents élèves mis au pas par une dizaine d'adultes. J'aperçois Franck, le visage à demi dissimulé par le bout de tissu. Lui non plus n'a pas protesté. L'effet de surprise, certainement. Et surtout, la peur. Quelques lycéens veulent faire demi-tour. Mais les surveillants s'assurent qu'on ne puisse pas sortir. S'il y a un foyer d'infection au lycée, on ne nous laissera pas nous en éloigner.

***

Toute la journée, les cours se déroulent dans un silence complet. Nos voix sont assourdies par le masque, et, surtout, l'inquiétude ramène chacun à ses pensées. Même en français, personne ne lève la tête de son livre. La prof, aussi mal à l'aise que nous, récite son cours d'une voix monotone. Elle porte un masque, elle aussi. Le sujet du jour : la liberté individuelle face à l'intérêt collectif. Ça ne manque pas d'ironie : chacun d'entre nous a dû renoncer à sa liberté pour éviter à la société le risque de la contagion. À la fin du cours, Lucie n'y tient plus et interpelle la prof.

– J'aimerais bien qu'on m'explique, madame. Qui décide de l'intérêt collectif ?

Tout le monde a compris qu'elle parle du lycée, des masques qu'on nous oblige à porter.

– L'État, Lucie, en règle générale. Et aussi, les citoyens, quand il est évident pour tous qu'une mesure est nécessaire au bien commun même si elle nuit particulièrement à certains.

– Et à vous, ça vous paraît évident ?

Elle ne lâche jamais prise. Vraiment pas le genre d'élève à qui on répond « c'est un peu compliqué à expliquer », ou « on verra ça plus tard » !

– Pas complètement, non. Je ne comprends pas bien. Mais je suis sûre qu'on va nous expliquer très vite…

Elle a choisi son camp. C'est sa responsabilité d'enseignante. Assurer l'ordre au lycée. Je la comprends, mais je ne peux pas m'empêcher d'être déçu. Lucie aussi, qui se rassoit sans insister.

À cinq heures, quand nous sortons du lycée, le proviseur et son adjoint sont là, avec la CPE et tous les surveillants. Ils répètent sans cesse les mêmes mots devant le flux d'élèves qui s'écoule devant eux :

– Vous devez garder les masques jusque chez vous.

On obéit, pour la plupart, et les passants nous observent comme des bêtes curieuses. Une vieille femme s'éloigne précipitamment, comme ce couple avec un bébé dans un landau. Des clients sortent du bar où ils boivent un verre pour nous regarder passer. Certains semblent amusés ; d'autres, inquiets, se réfugient à toute hâte à l'intérieur. Je pense à ces mauvais films de série B, quand les méchants débarquent en ville.

– Bon, ça suffit comme ça ! J'en ai assez !

Lucie retire son masque posément. Nous la regardons, surpris, sans savoir quoi faire. C'est Benjamin qui fait pencher la décision :

– Fais gaffe, Lucie, tu vas t'enrhumer.

Et il ôte à son tour le masque. J'ai l'impression de redécouvrir mes amis, et leurs sourires me font du bien. Je les imite. Mais pas Matthieu.

– On ne va pas se laisser impressionner, non ?

– Je ne sais pas… Ça a l'air sérieux, cette histoire. J'ai lu un truc, l'autre soir…

– Allez… vas-y ! On a assez fait les clowns comme ça, tu ne crois pas ?

– Il faut que j'en parle à mes parents… On se voit demain, d'accord ?

Interloqués, nous le regardons s'éloigner à grands pas.

– Ça y est, ils ont fait un prisonnier, dit Lucie. On y va, nous aussi ?

Mais nous n'en avons pas fini. Un type sort du bar-tabac du coin de la place. Le Bar des Écoles.

Nous nous y arrêtons souvent en sortant de cours pour prendre un café.

– Hé, les jeunes !

Il marche précautionneusement, comme s'il avançait pieds nus sur des morceaux de verre. Peut-être a-t-il trop bu.

– Faut les remettre.

Nous ne comprenons pas tout de suite.

– Les masques. Remettez les masques. C'est dangereux.

Un instant, je crois qu'il plaisante. Mais cinq ou six clients sont sortis à leur tour du bar et le rejoignent.

– Il n'a pas tort, les gosses. Il y a sûrement une bonne raison, si on vous a dit de porter ça.

Les gosses ? Les militaires l'autre jour, les surveillants et maintenant eux.

Un autre type prend le relais. Plutôt jeune, lui. Les mains cachées dans sa parka, vaguement menaçant.

– On ne veut pas de problèmes dans le quartier. Pas de maladies. Alors vous remettez ces trucs ou vous ne repassez plus par ici.

– Mais c'est notre lycée !

Lucie n'aime pas sa voix, qu'elle trouve trop haut perchée. Elle dit toujours que, dès qu'elle hausse le ton, elle donne l'impression qu'elle va pleurer. Et c'est vrai que personne ne prête attention à ce qu'elle vient de dire. Nous sommes trois, et la foule de ceux qui nous font face grossit rapidement. J'essaie de me rassurer en me disant que ce sont des curieux et que les distractions sont maigres dans le quartier. Mais pas un des nouveaux venus ne semble vouloir prendre notre défense. Et d'ailleurs, qu'avons-nous fait de mal ? Ôter un fichu masque dont personne ne saurait dire exactement pourquoi on nous l'a imposé ?

– Vous feriez mieux d'y aller, maintenant.

C'est Jean, le patron du bar. Il a vu que nous étions en difficulté et il est sorti pour tenter de calmer tout le monde.

– Allez, je paie ma tournée.

Inutile de préciser que nous ne sommes pas invités. Il veut juste détourner l'attention, et on en profite pour s'éclipser, soulagés et rageurs.

Mes parents doivent rentrer tard ce soir ; ils sont à une réunion à l'école de Lina. Je n'ai pas envie de me retrouver seul dans l'appartement, et le départ soudain de Matthieu m'a laissé un goût amer dans la bouche. Je laisse Lucie et Benjamin, qui vont traîner en ville – eux aussi ont besoin de digérer ce qui vient de nous arriver – et je marche jusque chez Matthieu. Il habite une minuscule maison dans une impasse ; comme d'habitude, je pousse le portillon du jardinet sans sonner et je frappe à la porte d'entrée.

C'est Matthieu qui m'ouvre après quelques secondes. Je suis sidéré : il porte encore son masque ! Il ne me laisse pas le temps de le questionner.

– C'est mon père. Il dit que c'est sérieux. Que c'est mieux comme ça.

Je comprends qu'il ne va pas m'inviter à entrer.

– OK, OK… On se voit demain ?

Je n'ai pas trouvé mieux ; mais je sens qu'il est soulagé.

– Oui, c'est ça. Demain.

Et je m'éloigne, avec le sentiment que nos chemins se séparent. Matthieu accepte les ordres. Ceux de son père. Ceux des médias qui ont décrété que nous sommes coupables.

Moi, je suis persuadé que je n'ai rien fait de mal. J'ai peur mais je ne me laisserai pas faire.

3. Contagion

Minuit moins le quart. Impossible de fermer l'œil. L'appartement est calme. Lina doit déjà dormir, même si elle mène une guerre contre les parents pour reculer l'heure du coucher. Elle triche, bien sûr, et lit sous les draps à la lueur de sa lampe de poche. Je le sais, et papa et maman aussi. « Au moins, elle lit ! » soupirent-ils.

Aucun de mes amis n'était sur Facebook ce soir. C'est inhabituel. On reste branchés tant qu'on le peut, et les vacances deviennent un supplice quand on ne peut se connecter à Internet. Une sorte de dépendance ; se sentir dans le réseau, même pour rien, juste pour être ensemble, partager quelques sentiments fugaces et savoir que les autres sont là. Lina et moi en sommes venus à redouter les vacances en terre inconnue, là où les hôtels ne sont pas équipés en WiFi.

J'imagine que mes amis sont abasourdis, comme je l'ai été après l'intervention du Président. Il est apparu à vingt heures sur toutes les chaînes. La musique solennelle, le bureau devant les dorures, les drapeaux, d'habitude, ça ne me fait ni chaud ni froid, mais là, les journaux avaient vendu la mèche dans la journée : il allait parler du virus Zéro.

Le Président a expliqué que la menace du virus se précisait, que les premiers cas avaient fait leur apparition en France ; il a dit que tout était prêt pour faire face, que les hôpitaux étaient sur le pied de guerre. Et aussi qu'il semblait que le virus se répandait par les adolescents. Le journaliste a insisté :

– Monsieur le Président, vous nous confirmez que les adolescents sont responsables de la contagion ?

– J'ai dit qu'il est possible que ce soit le cas. Mais, quoi qu'il en soit, nous avons préparé les mesures qui s'imposent.

– Quelles mesures, monsieur le Président ?

– Nous communiquerons dans les prochains jours, mais d'ores et déjà je vous demande d'avoir confiance en moi. Nous traverserons cette crise et nous en ressortirons plus forts.

La contagion. Voilà ce qui m'empêche de dormir. Le virus Zéro peut toucher n'importe qui, sauf les adolescents. Qui, eux, sont des « porteurs sains », susceptibles de contaminer tous les autres. Un phénomène chimique qui modifie les cellules caractéristiques de l'adolescence, pour reprendre les termes du Président. Donc je suis peut-être infecté, mais je ne peux pas tomber malade. Et pourtant je peux transmettre la maladie aux enfants, aux adultes. À Lina, à mes parents. Mais qu'est-ce que ça veut dire exactement, « adolescent » ? Apparemment, ils ont décidé que c'était synonyme de « collégien » et « lycéen ». Lina m'a confirmé qu'aucun masque n'avait été distribué à l'école. Et d'après les infos, à la fac non plus.

J'allume la lampe de chevet. Ma chambre, si familière. Et pourtant rien n'est plus pareil. C'est un peu ce que j'ai ressenti il y a deux ans quand mon grand-père est mort. Tout semble identique, la vie continue et pourtant, rien n'est plus pareil. Le bureau noir, l'affiche de New York, les piles de CD n'ont pas changé. C'est toi. Tu te sentais parfaitement à l'aise dans ce monde, le tien, tu avais tes repères, ta famille, tes amis, ta maison, le cycle des saisons, la nuit qui tombe, les petits matins ensoleillés, la ville dont tu fendais les rues avec aisance, un cycle immuable, rassurant.

J'ai changé. Je regarde mes mains, soulève mon tee-shirt, bêtement, pour vérifier. Mais vérifier quoi ? Je peux transmettre une maladie. Grave, mortelle. Je suis dangereux.

Ça commence dès le matin. Quand j'émerge péniblement de ma chambre, après quelques heures de sommeil, mes parents sont là. Debout, dans la cuisine.

De l'autre côté de la table, immobiles. Ils devaient m'attendre.

– Thomas… Tu sais qu'il va falloir prendre des précautions.

Pas « bonjour », « précautions ». Ils vont me parler de Lina.

– Nous ne voulons pas prendre de risque pour Lina.

C'est mon père qui énonce les mesures :

– Ce serait mieux que tu gardes le masque à la maison. Et qu'on évite les contacts inutiles.

Les contacts inutiles… Comme s'étreindre, s'embrasser ? Comme poser la main sur l'épaule parce qu'on est content de se retrouver ?

– Et on va s'organiser pour la salle de bains. Je t'ai sorti des serviettes propres, tu n'auras qu'à utiliser toujours les mêmes.

Maman sourit en parlant, comme si elle me faisait un cadeau.

– Et pour manger, je fais comment ? J'attends que vous ayez terminé, je fais un trou dans le mur de ma chambre au niveau de la bouche ?

Je plaisantais, évidemment, mais le regard qu'ils me lancent me donne l'impression qu'ils n'avaient pas réfléchi au sujet.

– Non, bien sûr, on ne va pas exagérer…

J'imagine qu'ils se sentent humains et compatissants. Qu'ils pensent agir pour le bien de Lina. Mais ils cachent mal leur peur.

– Et si on petit-déjeunait ?

– Et Lina ?

– Je la laisse dormir, elle commence plus tard aujourd'hui.

Je me prends à douter ; à me demander s'ils n'ont pas demandé à ma sœur de rester dans sa chambre jusqu'à mon départ. Mais non ! Je ne vais pas me laisser aller à la paranoïa. C'est juste que j'aurais aimé partager ce petit-déjeuner-là avec ma sœur, profiter de sa réserve inépuisable de bonne humeur.

Il est urgent de détendre l'atmosphère. De parler de choses et d'autres. Ça semble marcher pendant quelques minutes. La journée qui nous attend, les projets de vacances, le temps qu'il fait. Comme avant. Mais ça ne dure pas.

– Quand même, il fallait s'y attendre. Ils disent que ce virus est lié à une mutation génétique. Chez les animaux. Peut-être le résultat des méthodes d'alimentation modernes.

Voilà maman lancée sur un de ses sujets préférés, l'écologie.

– Ça devient infernal ! Le climat, la nourriture… On joue aux apprentis sorciers et, forcément, ça se termine mal.

Papa n'est pas sur la même longueur d'onde. La sauvegarde de la planète n'est pas vraiment sa priorité.

– Ce n'est peut-être pas le moment de parler de ça. On devrait se concentrer sur nos problèmes. De toute façon, on ne sait pas exactement d'où ça vient.

– C'est facile de dire ça. On ne sait pas exactement, alors on ne fait rien. Et on voit le résultat.

– Écoute, je préférerais que tu ne mélanges pas la politique à la maladie de Thomas !

Cette fois, c'est trop. Je réagis :

– Je ne suis pas malade ! Je suis juste…

Je ne veux pas terminer ma phrase. Leur lancer que toutes leurs prétendues précautions ne sont pas pour mon bien mais pour le leur. Mais non, je ne veux rien dire d'irrémédiable. Je me lève, j'empoigne mon sac. Je suis déjà dans l'escalier quand ma mère m'assure que tout va s'arranger très vite.

Elle se trompe, elle se trompe complètement. L'allocution du Président a eu son petit effet : plus les jours passent, plus j'ai la désagréable impression d'un retour vers le Moyen Âge, quand les pestiférés agitaient une crécelle pour prévenir de leur arrivée. Le masque joue le même rôle. On s'écarte sur notre passage, les passants changent de trottoir. Seuls quelques enfants osent venir nous dévisager – si l'on peut encore utiliser cette expression – avant d'être rappelés à l'ordre par leurs parents. Nous sommes devenus des parias.

Pire : des intouchables.

Au lycée, le proviseur s'efforce de maintenir un fonctionnement normal, mais c'est de plus en plus difficile. Ce matin, la moitié des profs sont absents. Je ne peux pas leur en vouloir : on voudrait les forcer à côtoyer ceux qui peuvent les infecter. Benjamin et moi nous errons dans la cour ; il n'y a plus assez de surveillants pour nous obliger à rejoindre les salles d'étude. Beaucoup d'élèves ne viennent plus, lassés de ces emplois du temps où les heures de cours sont l'exception. L'année scolaire semble largement compromise, au point que certains parents ont inscrit leurs enfants à des cours par correspondance.

– Attendez-moi !

C'est Matthieu qui débarque du bâtiment A. Maintenant que le port du masque est obligatoire, le malaise qu'il y avait entre nous n'a plus de raison d'être.

– Bon, on déjeune où ?

C'est une autre conséquence de la période de crise. Plus de self. Trop de risques de contamination.

– Le petit chinois ?

Va pour le petit chinois.

– Et si on appelait Lucie ? On lui propose de nous rejoindre ?

Cela fait plusieurs jours qu'elle ne vient plus au lycée. Qu'elle ne donne plus de ses nouvelles, même sur GTalk.

Matthieu se charge de lui envoyer un message. Il nous répète au fur et à mesure ce que lui écrit Lucie.

– Elle dit qu'elle ne peut pas… Qu'elle ne sort pas de chez elle… Pas en plein jour.

Je n'y comprends rien : nous ne sommes pas consignés chez nous. Pas si nous portons le masque.

– Elle propose de se retrouver ce soir, tard. Au parc.

C'est d'accord, bien sûr. On a tous envie de la voir, et nos soirées ne sont plus accaparées par les devoirs et les révisions !

L'après-midi traîne en longueur. Deux heures à attendre le cours de français, le seul à n'être pas annulé.

Nous sommes devenus une tribu de fantômes sans visages, des spectres qui errent dans le lycée.

Franck est là, nous l'apercevons de loin, mais il passe son chemin sans s'arrêter.

Ce soir, le dîner se déroule selon notre nouveau rituel. Maman me prépare un plateau, et je mange devant la télévision, en essayant de ne pas faire attention aux bribes de conversation qui viennent de la cuisine. Toutes les cinq minutes, maman ou papa passe la tête par la porte du salon et me demande si tout va bien. Je m'efforce de répondre calmement, même si cette exclusion me pèse de plus en plus.

Nous en avons parlé avec les copains, cet après-midi : pourquoi est-ce nous qui devons prendre toutes ces précautions ? Ne serait-ce pas plutôt ceux qui sont menacés par la maladie qui devraient porter des masques ? Je zappe sur une chaîne d'information en continu. Il y a quelques semaines, les images provenaient d'Inde, du Mexique ou d'Égypte. Aujourd'hui, c'est à Lille, à Tarbes ou à Rouen que sont décomptés les malades et, depuis quelques jours, les morts. Les scènes se ressemblent étrangement : une caméra filme depuis le trottoir d'en face la maison ou l'immeuble où vivait la victime. L'entrée est gardée par des policiers en armes. Une ou deux ambulances et des brancardiers font l'aller et retour, et, surtout, les rues sont désertées par les passants qui n'osent s'approcher des foyers de la maladie.

Mon repas terminé, je quitte l'appartement en marmonnant un « à plus tard » inintelligible. Les rues sont vides, comme si un couvre-feu avait été instauré. Plus personne ne sort le soir, et je repense à un commentaire du présentateur du journal télévisé : les restaurants et les cinémas font faillite les uns après les autres, faute de clients. Les gens ne partent plus en vacances, craignant de tomber malades loin de chez eux. Du coup, même la délinquance est en baisse : il n'y a plus d'appartements déserts à cambrioler !

Je parcours les rues silencieuses, apaisé. Je suis saturé du regard des autres ; qu'ils me fixent avec insistance ou qu'ils me lancent des regards à la dérobée, je suis fatigué d'être une bête curieuse. Comme s'il me manquait un bras ou que je mesurais deux mètres. Il pleut à peine, et même cette pluie est la bienvenue : elle nettoie les traces que tous ces yeux inquisiteurs ont laissées sur moi.

Le parc est à l'autre bout de la ville. Je me demande pourquoi Lucie nous a donné rendez-vous là-bas, loin de tout, elle qui se proclame une farouche citadine. Je longe le fleuve, dont les eaux bouillonnent contre les piles des ponts, et je m'éloigne peu à peu du centre-ville. La taille des immeubles diminue, les commerces se font plus rares, puis j'entre dans la zone de pavillons où habitent certains de mes amis. Je croise quelques voitures ; leurs conducteurs invisibles sont indifférents aux gerbes d'eau qu'ils projettent dans la lumière froide des réverbères.

Je saute le portillon ; le sable de l'allée est humide sous mes pieds. Ils sont certainement dans le kiosque à musique, à l'abri. J'aperçois déjà le rougeoiement d'une cigarette ; pourtant, aucun de mes amis ne fume. Je gravis les marches. Lucie est là, et Benjamin aussi. Et je reconnais le fumeur : c'est Franck.

– Bienvenue dans notre petit repaire, Thomas. Il y a un rite, tu sais : pour pouvoir entrer, tu dois ôter ce masque ! Face nue ! C'est devenu une sorte de devise pour nous ! Notre cri de ralliement, quand nous n'en pouvons plus de respirer notre propre haleine.

Je m'exécute, doucement, pour profiter de l'instant. Des semaines que je n'ai pas ôté ce masque à l'extérieur de l'appartement.

– Tu sens le vent frais sur tes joues ? demande Lucie. C'est bon, non ?

– Ça me ramène des années en arrière… L'impression de faire une bêtise en cachette de mes parents.

– C'est là que tu étais ces jours-ci, Lucie ? demande Benjamin. Tu passes tes journées ici ?

– Les journées, non, c'est compliqué, le parc est pas mal fréquenté, surtout après la sortie de l'école. Et tous ces enfants qui jouent… Leurs mères n'apprécieraient pas qu'on se balade sans nos masques. On vient là le soir, quand c'est tranquille, pour souffler un peu.

Le doute s'installe. Alors, Franck et elle… ?

– Je ne savais pas que vous étiez…

Franck éclate de rire.

– Tu n'y es pas, vraiment pas du tout. « On », ce n'est pas Lucie et moi pour des roucoulades d'amoureux. Tu ne crois pas qu'il y a plus important en ce moment ?

– Bon, Franck, tu nous expliques ? demande Benjamin.

Il sourit, allume une nouvelle cigarette.

– Disons qu'on est quelques-uns à en avoir un peu marre de ce truc. Les jeunes d'un côté, les enfants et les adultes de l'autre. La trouille et la parano. Alors on se retrouve ici le soir pour discuter. Sans nos masques. Voilà, tu sais tout !

– Mais c'est secret ? demande Benjamin d'une petite voix.

Lucie rit doucement.

– Normalement, rien n'interdit de se réunir entre amis pour discuter, non ? Même dans un endroit aussi charmant que ce parc sous la pluie !

– Alors, pourquoi pas en ville et en pleine journée ?

– Tu sais très bien pourquoi ! On nous observe en permanence !

Lucie ne sourit plus.

– Nous ne sommes pas obligés d'accepter tout ce qu'on veut nous imposer, non ? C'est quoi, la prochaine étape : construire un mur autour des lycées ? Vider les rues quand on sort ? Séparer les familles ? Ça vous plaît de vivre comme des pestiférés ?

– Bien sûr que non ! s'exclame Benjamin. Mais vous voulez faire quoi ?

– Pour l'instant, on réfléchit... Et on pourrait déjà profiter d'un bon café, non ? Je ne sais pas vous, mais moi je commence vraiment à avoir froid !

Franck sort un Thermos de son grand manteau noir et nous nous réchauffons en buvant tour à tour dans la tasse qui fait office de bouchon. Ce simple geste me réconforte : personne ne se soucie de la contagion ! Mais je meurs d'envie d'en savoir plus : est-ce que Franck et Lucie préparent quelque chose ? Et pourquoi ne nous en disent-ils pas plus ? Pourtant je ne pose pas de questions ; je veux juste profiter de la sérénité de l'instant dans le petit kiosque à musique.

Quand nous quittons le parc, je réalise soudain que Matthieu ne s'est pas joint à nous. Je veux l'appeler, avant de réaliser qu'il est bien trop tard. Et puis, j'ai le sentiment qu'il n'aurait pas aimé cette rencontre dans le parc.

La troisième semaine de novembre, une gigantesque manifestation traverse la ville. Les partis écologistes profitent du virus Zéro pour interroger le gouvernement. Les manifestants lui reprochent de ne pas prendre au sérieux les menaces qui pèsent sur la planète. Ils réclament un arrêt immédiat des expérimentations sur les organismes génétiquement modifiés, l'arrêt des centrales nucléaires, la fin de l'élevage industriel des porcs et des poulets. Symboliquement, tous les manifestants dissimulent leur visage derrière des masques, les mêmes que ceux que nous portons depuis maintenant plus d'un mois. Bien sûr, la plupart des lycéens de la ville se joignent au cortège. Mais, perdus au milieu de cette marée humaine, nous sommes mal à l'aise. Tous ces gens sont-ils ici pour nous défendre, ou le Zéro n'est-il qu'un prétexte ? Comme à son habitude, Lucie résume en une phrase ce que nous pensons tous :

– Ce qui serait vraiment fort, c'est que nous enlevions tous nos masques, pas que tout le monde soit obligé d'en porter un !

Matthieu, pour une fois, s'est joint à nous. Je le sens inquiet ; ces vastes rassemblements ne sont pas faits pour lui. Il préfère le calme de sa chambre ou de la bibliothèque où il passe ses samedis après-midi.

On défile dans le calme, sous le regard des passants qui s'immobilisent pour nous observer. Les commerçants sortent sur le trottoir, comme les clients des bars. Mais soudain, la situation dégénère. Un groupe cagoulé interpelle les manifestants. Des cris fusent.

– Rentrez chez vous ! Pas de malades dans nos rues !

Et le bombardement commence. Tomates et œufs. Le service d'ordre de la manifestation intervient ; des militants portant un brassard vert tentent de s'interposer. Mais les cagoulés sont décidés : ils s'engouffrent au sein du cortège et isolent un petit groupe. Un peu plus loin, des policiers observent la scène, sans intervenir. Je vois des poings levés, des lycéens qui tombent à terre, des coups de pied, des corps au sol. Une seconde plus tard, les cagoulés fondent sur nous. J'entends un cri. Franck, peut-être.

– Barrez-vous !

C'est chacun pour soi. Un passage s'est ouvert dans la foule et j'en profite. Je me précipite hors du cortège, vers une rue latérale, et je cours aussi vite que je le peux. Mais je ne suis pas tiré d'affaire : j'entends derrière moi le martèlement des pas des deux types qui m'ont pris en chasse. J'accélère encore, mais je suis freiné par les passants. Un homme en manteau noir tente de m'arrêter, mais je fais un crochet et je parviens à l'éviter. Devant moi, au bout de la rue, deux hommes sont en train de tabasser un garçon, acculé dans l'angle d'une porte d'immeuble. Une rue sur la droite.

Plus vite, Thomas ! Plus vite !

Si je tiens bon, je peux atteindre mon immeuble. Mais mes poursuivants gagnent du terrain… Mes poumons me font mal, je suis sur le point de lâcher prise, quand une main m'agrippe et m'attire dans une boutique. Je reconnais le libraire chez qui j'achète mes mangas. Il bloque la porte, juste à temps ; les deux types sont là, comme deux tigres affamés. Ils lèvent haut leurs barres de fer et je suis certain qu'ils vont fracasser la vitrine. Finalement, ils renoncent : il reste du gibier en ville.

Le libraire me propose d'appeler mes parents, mais je ne veux pas rentrer. Quand tout semble calme dehors, je ressors et je retourne vers la manifestation. C'est un désastre. On dispense des premiers soins ; des garçons et des filles pleurent, assis à même le sol. Un peu plus loin, une voiture finit de brûler. J'erre entre les petits groupes, à la recherche de mes amis. Ils ont disparu. Le danger est passé, mais les cagoulés ont gagné : à la télévision, ce soir, on ne retiendra que le désordre que notre rassemblement a créé.

La manifestation, comme toutes celles qui se sont déroulées en France et ailleurs en Europe, a rendu la situation encore plus tendue. Le ministre de l'Intérieur apparaît à la télévision pour confirmer le renforcement des mesures de protection. De nouvelles études confirment que les adolescents sont bien le vecteur de la maladie ; il cite l'exemple d'un lycée de banlieue parisienne où plusieurs enseignants auraient été frappés par le virus Zéro, et précise que trois d'entre eux seraient « entre la vie et la mort ». Il annonce la fermeture de tous les lycées. De plus, les déplacements des 13-18 ans sont strictement limités. Ils ne peuvent plus se rendre dans les lieux publics.

Bibliothèques, cinémas, restaurants, piscines leur sont désormais interdits. Et il leur est fortement conseillé de ne plus sortir le soir dans les rues.

Je m'attendais à un concert de protestations, mais je suis déçu. Personne ne prend notre défense. Tous les partis politiques font bloc autour du gouvernement. Aucun ne veut prendre de risques. Les organisations écologistes sont embarrassées. Elles font du virus Zéro un symbole, celui des ravages créés par l'homme sur l'environnement ; la crise leur convient pour marquer les esprits et elles ne s'élèvent pas non plus contre les mesures décidées par le gouvernement.

Pour moi, pour nous, une nouvelle vie commence. Sans Facebook ou GTalk, nous serions réduits à la solitude presque totale. Le matin, mes parents et Lina quittent l'appartement et je reste seul, désœuvré. Je suis censé continuer à suivre des cours : une chaîne de télévision a été réquisitionnée pour diffuser des programmes scolaires, et plusieurs sites spécialisés dans l'enseignement à distance ont été ouverts. Mais j'en suis incapable.

Je m'installe devant la télévision, et la déprime me gagne quand je vois ce professeur tracer des équations sur un tableau noir. Sur Internet, c'est encore pire : aucune présence humaine, juste des cours et des exercices à télécharger. J'erre dans l'appartement, piochant de quoi déjeuner dans le réfrigérateur, zappant d'une série américaine à l'autre. Puis je sors sur le balcon et me penche à la balustrade pour observer la ronde des voitures et les passants indifférents, jusqu'à ce que le froid me contraigne à rentrer.

Le soir, ma famille revient. Les conversations sont animées entre Lina et mes parents, mais moi, je n'ai rien à raconter de ma journée. Les premiers jours, on m'a demandé ce que j'avais fait, si je ne m'étais pas ennuyé, mais mes réponses maussades leur ont bien vite ôté toute envie de me poser des questions. Et, bien sûr, il y a toujours cette tension : mes parents, comme les autres adultes, voient en moi celui qui pourrait les contaminer, eux et Lina. Ils vivent face à face avec la menace. Nous appliquons des consignes encore plus strictes : je dispose de ma propre vaisselle, de mes draps, et le tout est lavé séparément. Tout contact est désormais proscrit. Nous ne nous embrassons plus jamais quand nous nous quittons.

À en juger par nos discussions sur Facebook, la situation est similaire chez tous. Avec quelques variantes, toutefois : Benjamin a dû emménager dans une chambre de bonne au dernier étage de son immeuble, réaménagée à la va-vite. Ses parents ont jugé préférable de couper toute relation avec lui. Il ne redescend dans l'appartement familial que quand celui-ci est vide, pour se doucher et récupérer quelques affaires. Il déjeune ou dîne à des horaires décalés, quand sa famille n'est pas là, ou quand tout le monde dort. Matthieu semble mieux loti. Lui, le plus studieux d'entre nous, parvient encore à se concentrer sur ses cours, au moins quelques heures par jour. Quant à Lucie, nous n'avons aucune nouvelle depuis plusieurs jours. Elle ne répond plus à nos messages.

Je n'en peux plus, de cet enfermement. Je me lève de plus en plus tard pour éviter de croiser ma famille et nos discussions creuses. Et ce soir, pas moyen de dormir.

Une heure du matin. Je sors sans bruit de ma chambre, traverse l'appartement, et je me glisse dans l'escalier. Je retiens mon souffle et franchis la porte d'entrée.

Ça y est, je suis dans la rue. Pour la première fois depuis des jours. Le froid me saisit, après la douce chaleur du cocon protecteur de ma chambre. Au pied de l'immeuble, j'hésite : et maintenant, qu'est-ce que je fais ? Mes amis me manquent. Machinalement, je prends la direction du parc. Je ne veux pas me faire remarquer : j'ôte mon masque, et je dissimule mon visage sous une écharpe, le keffieh que Lucie m'a offert pour mes seize ans. Je traverse la pelouse pour rejoindre le kiosque à musique.

Il n'y a personne…

Où est Lucie ? Avec Franck ? Il est presque deux heures, et je n'ai aucune envie de rentrer. Mes pas m'entraînent vers un endroit familier : le lycée. Jamais je n'aurais pensé dire ça un jour, mais j'ai envie de le revoir. J'espère bêtement un miracle, qu'il y aura quelqu'un à qui je pourrai parler. J'avance sur le cours Mirabeau, désert ; une voiture de police municipale circule au ralenti. J'ai peur qu'ils ne m'interpellent, qu'ils ne me demandent mes papiers pour vérifier mon âge, mais elle continue son chemin.

Me voici sur le parvis du lycée. La porte principale est barrée d'un ruban orange et blanc, pour signifier à ceux qui l'ignorent encore que l'accès est interdit. Je pense à mon casier, aux affaires que j'y ai laissées. Mes chaussures de sport, quelques livres, un CD que je devais rendre à Benjamin : mon ancienne vie. Je remonte la rue qui longe l'édifice, vers l'entrée des professeurs. J'aperçois mon bâtiment par-dessus le mur. Une salle est éclairée au deuxième étage ; je suppose que le gardien fait sa ronde. Si tout à l'heure j'étais content de sortir, je réalise à présent ma solitude. Je voudrais que mes amis me rejoignent, là, maintenant. Mais je n'ose pas les appeler au beau milieu de la nuit.

Machinalement, j'essaie d'ouvrir la grille ; elle ne résiste pas. Je suis dans la cour, surveillant la progression des salles qui s'allument et s'éteignent. Je monte l'escalier d'honneur, excité à l'idée que je ne devrais pas être là. J'entre dans ma classe et m'assieds bêtement à ma place. Je ne sais pas quoi faire. Je fouille les armoires, le bureau du prof et tombe sur une liasse de copies ; ça serait marrant de les faire disparaître, ou de changer les notes. Les devoirs en main, je m'approche d'une fenêtre et les jette dans la cour. Je regarde les feuilles qui volettent comme des oiseaux malades et vont se poser sur le bitume gris de la cour. Le gardien va venir. Je m'enfuis.

***

Lucie m'appelle sur mon portable. Enfin ! Je commençais à croire qu'elle avait disparu de la surface de la Terre. Il est seize heures, et la journée s'étire, interminable comme les autres. Elle ne me dit même pas bonjour.

– On se retrouve au parc ce soir ? Minuit ?

Ce n'est pas vraiment une question : elle a déjà raccroché.

Plus tard, sur Internet, ni Matthieu ni Benjamin ne font allusion au rendez-vous de ce soir ; impossible de savoir s'ils sont au courant et je préfère ne pas leur parler du coup de fil de Lucie. Je crois que j'espère secrètement que nous nous retrouverons seuls tous les deux, juste elle et moi.

À nouveau, je traverse la ville en douce. Les mêmes pavillons, à la différence près que certains arborent maintenant les premières décorations de Noël. Bien que ces dernières semaines n'aient pas été propices à se réjouir, je me laisse prendre au charme des guirlandes lumineuses, souligné juste au bon moment par quelques flocons de neige. Le portillon du parc n'est pas fermé ce soir. Mes pas crissent sur la fine couche blanche qui commence à se former. Lucie est là, et Franck. Tous deux ont l'air heureux de me voir.

– Salut, Thomas… Plutôt cool de se retrouver, non ? C'est la première fois que tu sors, depuis… ?

– Non pas vraiment, en fait. Je suis repassé au lycée, la nuit dernière…

C'est Lucie qui m'explique pourquoi je suis ici.

– On voulait te prévenir, Thomas.

– Vous avez continué à vous voir, tout ce temps ?

Je veux dire : Franck et elle. D'y penser, j'en ai une boule au ventre ; il n'y a aucune raison, pourtant. Lucie et moi sommes amis, c'est tout. Mais je supporte mal l'idée qu'elle soit plus proche de Franck que de moi. Je culpabilise de ressentir cette jalousie infantile.

– Ne m'en veux pas de ne pas t'avoir contacté plus tôt. On voulait être sûrs.

– Sûrs de quoi ?

– De ce qui va arriver ! Ça va empirer, Thomas, ça va empirer encore. Il va falloir se tenir prêts. Tout le monde n'est pas d'accord, dans l'administration, et même au gouvernement. Certains fonctionnaires n'osent pas protester, mais ils nous informent discrètement. L'épidémie s'accélère, bien plus vite que ce que racontent les journaux ou la télé. Sans doute déjà des centaines de morts. Ça n'a servi à rien, de nous interdire les lieux publics. C'est à l'intérieur des maisons, des appartements, que ça se passe. La contagion. Ils ne pourront pas garder ça secret très longtemps. Les hôpitaux sont pris d'assaut, les funérariums aussi.

– Comment vous savez tout ça ?

– Le père de Franck… Il connaît des gens haut placés. Ceux qui dirigent.

J'essaie de comprendre ce qu'elle veut dire.

– Mais si ça n'a servi à rien… Ils vont arrêter tout ? On va pouvoir recommencer comme avant ?

Lucie secoue la tête, chassant au passage les flocons qui constellent sa chevelure brune.

– Ils vont nous mettre à l'écart… Demain peut-être ; au plus tard dans quelques jours. Ils vont dire qu'on ne peut plus nous laisser contaminer le reste de la population. Que nous menaçons nos propres familles !

– Personne ne va accepter ça !

Franck intervient :

– Tu ne te rends pas compte, Thomas. Tout le monde a la trouille. Tu as vu comment nos propres parents nous traitent ?

Je veux protester, expliquer que c'est normal. Qu'il faut protéger les enfants, qu'il faut protéger tout le monde… Mais je sais qu'il a raison. Depuis ces dernières semaines, j'ai l'impression d'être un paria dans ma maison.

– Qu'est-ce que tu entends par « mettre à l'écart » ? Comme si ce n'était pas déjà le cas !

Je suis en colère, contre Lucie, contre Franck parce que je n'ai personne d'autre à qui m'en prendre.

– Dans des camps. Loin d'ici. Ils vont réquisitionner des centres de vacances, des campings.

Les paroles de Franck, curieusement, me rassurent. Je m'attendais peut-être à des mesures encore plus radicales. La prison, l'hôpital…

– C'est peut-être mieux, finalement…, je soupire. Le temps que tout ça se tasse.

Lucie s'approche de moi.

– Non, ce n'est pas mieux, Thomas. On ne peut pas laisser le virus Zéro gouverner nos vies.

– Facile à dire ! Il n'y a pas de vaccin ! Et d'abord, qu'est-ce que vous voulez ? Que tous les jeunes s'enfuient ? Qu'on aille se planquer dans les montagnes ? Franchir les frontières ? C'est partout pareil, de toute façon.

Ma fureur monte d'un cran. Comme c'est facile de protester contre un fléau invisible dont on ne sait presque rien, au cœur de la nuit, entre amis.

– Pendant que vous discutez tranquillement, des gens meurent !

Je reprends mon souffle.

– Je vais y aller, maintenant. J'ai besoin de respirer un peu.

La couche de neige est plus épaisse. Je suis apaisé dès que je l'entends craquer sous mes pieds, après avoir descendu les trois marches du kiosque. J'avance encore de quelques pas, puis je me ravise.

– Lucie… Tu viens avec moi ?

Mon amie me rejoint. Des nuages de fumée blanche sortent de nos bouches.

– Je vais rester encore un peu, Thomas.

– Je ne comprends pas ce que tu fais avec lui… C'est quoi, ce cirque ? Vous vous prenez pour des révolutionnaires ?

Je regrette mes paroles aussitôt, mais Lucie ne semble pas s'en offusquer.

– Attends encore un peu. S'il te plaît.

La neige crisse derrière nous. Je me retourne, inquiet. Une forme sombre s'approche, de lampadaire en lampadaire. Quand elle est à moins de cinq mètres de nous, je sais que je connais cet homme.

– Salut, Thomas… Je suis content de te voir.

Antoine, le journaliste. L'ami de maman. Qu'est-ce qu'il fait ici ?

– Ça ne fait pas bien longtemps, en fait. Tu te souviens de la manifestation ?

Les bruits des boots derrière moi ? La matraque prête à s'abattre sur la vitrine ? Je ne vois pas comment j'aurais pu oublier !

– Alors vous vous connaissez ?

– Antoine faisait un reportage, après, quand les casseurs sont partis, explique Lucie. Il cherchait des témoignages, de groupe en groupe. On a discuté.

Antoine souffle dans ses mains, fouille dans ses poches à la recherche d'une cigarette, mais renonce. Je n'ai plus envie de partir, pas avec Lucie à quelques centimètres de moi. Et je crois que j'ai de l'admiration pour Antoine, son franc-parler, sa liberté.

– La suite est déjà organisée, Thomas. Tu ferais bien de croire ce que disent tes amis.

Il me reparle du Comité Stratégique de Santé, des ordres qui, en ce moment même, quittent Paris pour organiser notre mise à l'écart.

– Pour l'instant, il n'y a pas grand-chose à faire... Ils vont y mettre les moyens. Mais il faut que tu saches... Il faut que *vous* sachiez : vous n'êtes pas seuls... On est pas mal d'adultes à ne pas accepter ça, d'être dressés les uns contre les autres, les jeunes contre les vieux.

J'ai confiance en Antoine : maintenant j'y crois ; je sais que ça va arriver.

– Où est-ce qu'ils vont nous envoyer ?

– Ça, je n'en sais rien, mais on se débrouillera, on vous suivra à la trace. On va tout faire pour vous sortir de là !

Il s'interrompt et désigne la rue qui longe le parc. Des rayons lumineux dansent entre les flocons.

– Une patrouille... il va falloir qu'on se sépare.

Lucie attrape ma main.

– Viens !

Elle me guide vers l'arrière du parc, vers une issue que je ne connais pas. Je jette un coup d'œil derrière moi : Franck et Antoine ont déjà été avalés par la nuit.

Nous courons dans les rues désertes, poursuivis par les panaches de fumée que nous expirons. Tout à coup, Lucie dérape, je la rattrape dans mes bras. Un genou à terre, j'ai son visage à quelques centimètres du mien, et je voudrais que le jour ne revienne jamais… Mais elle sourit, se relève et elle m'entraîne à nouveau.

Soudain, nous sommes devant chez moi. Je voudrais l'embrasser, me penche doucement vers elle mais elle se dérobe, si paisiblement que je ne suis même pas blessé par son refus.

– Préviens les autres, Thomas. Dis-leur que ça va être difficile mais que nous ne sommes pas seuls.

Et elle disparaît sans se retourner.

4. Quarantaine

Six jours avant Noël. Hélicoptères assourdissants qui tournoient au-dessus de la ville, sirènes des voitures de police, rues bloquées.

On dirait que la guerre est déclarée.

Depuis le petit jour, nous patientons dans la cour du lycée, rouvert pour l'occasion. C'est ici que le Président, dans son intervention télévisée d'hier, a ordonné que nous nous rendions. Bien sûr, nous ne sommes pas tous présents : certains essaient d'échapper à « l'éloignement temporaire » – c'est ainsi qu'est baptisée l'opération qui va nous envoyer loin de nos familles. Les voitures de police vont chercher les récalcitrants un à un ; bien sûr, le lycée a les adresses personnelles de chacun d'entre nous. On me racontera plus tard ces descentes musclées, les chambres fouillées, les parents bousculés ; les regards des voisins sortis sur le palier pendant que les policiers escortent les adolescents jusqu'à la voiture. Et aussi : les cris, les pleurs, les baisers volés, les provisions glissées dans le sac à la dernière minute.

Hier soir, après le dîner, mes parents ont essayé de me rassurer.

– C'est peut-être une bonne solution, disait papa. Au moins pour quelques jours. Vous serez à l'abri, là-bas.

Mais très vite, maman est revenue à ses obsessions écologistes, et papa ne parlait que d'organisation : Où allions-nous nous installer ? Où allaient-ils trouver assez de bus pour nous emmener tous ? Comme si je partais en colonie de vacances. J'ai coupé court, en prétextant que j'étais fatigué, qu'il fallait que je sois en forme pour le lendemain. À quoi bon discuter, d'ailleurs ? Pas une seconde ils n'ont semblé penser que nous avions le choix.

Ce matin, je me suis glissé dehors à l'aube. Tout le monde dormait encore ; j'ai laissé un mot sur la table de la cuisine.

Je suis surpris de découvrir Lucie et Franck dans la cour. J'étais persuadé qu'ils refuseraient de se plier aux ordres, qu'ils s'enfuiraient je ne sais où.

– Vous êtes là ?

– Pas moyen de faire autrement, explique Franck. En tout cas, pas aujourd'hui. Tu as vu comment ils ratissent les immeubles ?

Lucie a l'air contente de me voir, peut-être autant que moi de la retrouver. Je veux dire quelque chose de gentil, mais Benjamin, qui est allé aux nouvelles, m'interrompt.

– D'après un pion, on est au complet. Les gars, les vacances commencent !

Cela ne nous fait pas vraiment rire. Un militaire appelle des noms. Nous sommes regroupés par classe, puis nous devons attendre sagement. C'est interminable, mais nous finissons par sortir du lycée pour découvrir la demi-douzaine de bus qui nous attend et les policiers massés sur le parvis pour s'assurer que nous allons bel et bien débarrasser la ville. Nous ne savons rien de notre destination. Les caméras de la télévision sont là, mais des soldats s'interposent et repoussent les journalistes.

– Pas de photos, pas de reportages !

– Vous n'avez pas le droit de nous en empêcher !

Le ton monte, un coup part et une caméra se fracasse par terre. Le journaliste qui veut protester est tiré sans ménagement vers un car blindé. Je repense à tout ce que la télé nous a débité pendant des semaines, les discours ronflants qui répétaient que tout était pour notre bien à tous.

Soudain j'aperçois Antoine, juché sur le piédestal d'une statue, qui mitraille à tout-va avec son appareil photo. Il est vite cerné par les militaires, forcé de descendre, et on lui arrache l'appareil des mains. Je suis rassuré qu'il soit là, qu'il nous observe. Peut-être a-t-il dit vrai, l'autre soir au parc : Nous avons des alliés, des adultes prêts à nous aider.

Devant les bus, on nous fouille sans ménagement. On retourne nos sacs, on palpe nos poches. Nos portables sont systématiquement confisqués. Un type qui tente de résister est plaqué violemment contre la paroi du bus ; le soldat extirpe triomphalement son téléphone, le jette à terre et l'écrase du talon. Quand le garçon se retourne, je vois que son nez saigne. Un petit groupe d'adultes que je n'avais pas encore repéré réagit et un homme grand, aux cheveux coupés très court, essaie de franchir la barrière des boucliers anti-émeutes des soldats.

– Rémi ! Rémi !

Le garçon, hébété, le menton barbouillé de sang, lève le bras.

– Papa ! Ici !

Peine perdue. Le père est impitoyablement repoussé. Il tombe à genoux, le visage entre les mains, et le vent charrie vers nous l'odeur âcre du gaz lacrymogène.

D'autres soldats sortent des cars bleus garés tout autour de la place. Un officier – le même que celui que nous avons vu au lycée, ce jour où tout a commencé – hurle ses ordres dans un porte-voix.

– Évacuez la place ! Je répète : Évacuez la place !

En quelques instants, la machine militaire se met en action. Les boucliers forment une barrière qui repousse la foule hors de la place. Certains tentent de résister, mais ils sont aussitôt jetés à terre.

– Allez, on embarque ! Maintenant !

On nous pousse dans les bus ; les portes se referment et nous démarrons brutalement, avant même d'avoir pu gagner nos sièges.

C'est seulement vers midi que les véhicules s'extirpent péniblement de la ville, précédés et suivis par deux ou trois motards. Nous sommes un convoi exceptionnel, prioritaire. Les faubourgs sont calmes. On nous observe, parfois on nous salue d'un petit signe de la main ; plus souvent, c'est le soulagement qui semble l'emporter sur le visage des passants. Tous les dix kilomètres environ, nous sommes arrêtés par un barrage. Mais ce n'est pas nous qui sommes visés ; chaque voiture, par contre, est systématiquement contrôlée. J'imagine qu'il est hors de question qu'un seul ado passe entre les mailles du filet.

Je repense à ce que disait Franck, l'autre nuit au parc. Tout ce déploiement de force, ces ordres : j'ai l'impression d'être traité en ennemi.

Peu à peu, nous perdons de vue les autres bus. Chacun prend une destination différente. Bientôt, nous sommes seuls sur la route. Matthieu n'a pas décroché un mot depuis notre départ. Je me lève pour aller voir s'il supporte la tension, mais un garde m'aboie l'ordre de me rasseoir et j'obéis docilement.

Après trois heures de route, nous nous arrêtons sur le parking d'une station-service. Des voitures de police nous attendent. On nous laisse nous installer sur un coin de pelouse, le temps de manger un sandwich.

Nos estomacs sont vides depuis ce matin ! Les policiers dissuadent les quelques témoins garés plus loin de s'approcher ; ils nous observent un moment, puis repartent sans insister.

Je peux enfin discuter avec Matthieu, qui s'est assis à l'écart, aussi loin que nos gardiens le permettent. Je fais signe à Lucie de m'accompagner.

– Eh, Matthieu, comment ça va ?

Matthieu ne relève pas la tête ; il continue de manger son sandwich comme si rien d'autre ne comptait.

– Tu veux qu'on essaie de se rapprocher dans le bus ? J'ai des trucs sympas sur mon iPod.

Lucie tente sa chance :

– Je suis sûre qu'on n'en a pas pour longtemps… Et puis c'est mieux de se retrouver tous ensemble, non ?

– Je ne crois pas, non… Ils ont dit de rester à sa place. Vous devriez retourner vous asseoir là-bas. Ce n'est pas une bonne idée de se parler.

Là, c'est un peu trop pour moi :

– Écoute, on ne va pas se laisser faire comme des gamins !

Lucie me rappelle à l'ordre :

– Thomas ! T'énerve pas, ça ne sert à rien.

– C'est comme ça, dit Matthieu. Mes parents ont dit que tout était pour le mieux. Si on fait ce qu'ils disent, tout se passera bien. Je vous connais : vous êtes toujours les premiers à protester. Je ne veux pas me laisser entraîner dans vos histoires…

– Matthieu…

– Vous feriez mieux de retourner là-bas, répète-t-il. On va bientôt partir.

Un militaire nous appelle.

– En rang devant le bus !

Il nous compte, consulte sa feuille, recompte. Visiblement, ça ne correspond pas. Il s'agite, aboie des ordres, sa voix claque :

– La station, vite !

Deux policiers bondissent hors de leur voiture et courent vers la petite boutique.

– C'est le moment, murmure Franck. Regarde, ils paniquent. On n'a pas beaucoup de temps…

– Qu'est-ce que tu veux faire ?

– Viens…

On recule doucement le long du bus.

– Tu vois les bois, là-bas ? Quand je te dis « cours », on fonce tout droit.

J'acquiesce d'un signe de tête, mais j'ai le cœur qui bat à tout rompre dans la poitrine. Lucie est à côté de la porte du bus. Elle est trop loin pour nous rejoindre, mais elle a remarqué notre petit manège et nous encourage du regard. Des cris montent de la station-service : ils ont apparemment retrouvé celui qui manquait. Nous sommes derrière le bus, maintenant, complètement dissimulés. Cinquante mètres de parking à traverser, une barrière de métal qui ne doit pas mesurer plus de un mètre, puis un grand champ et là-bas la forêt.

– Et s'ils nous tirent dessus ?

– Tu rigoles ! Ils n'oseront jamais.

Franck a l'air tellement sûr de lui.

– Je ne sais pas si je vais pouvoir…

Le temps s'arrête quelques secondes. Mais un homme surgit de l'autre côté du bus. Il titube, enserre son ventre de ses bras. Je le reconnais, c'est le chauffeur. Son visage est couvert de plaques rouges et ses yeux sont injectés de sang. Il s'effondre à nos pieds, avec un grand râle de douleur. Nous hésitons, une seconde de trop. Déjà un officier accourt.

– Tout le monde à l'intérieur ! Maintenant !

Nous sommes encerclés de soldats. Notre occasion s'est envolée, sans que je sache si j'aurais osé me lancer. Nous remontons dans le bus, pressés par les militaires. Le dernier à monter est le garçon qu'ils ont récupéré dans la station-service. Je vois l'ecchymose sur son front, et je comprends à ses yeux rougis qu'il a pleuré.

Dehors, les soldats s'agitent. Le bus est entièrement cerné et l'officier parle sans arrêt dans son portable. Il doit enfin recevoir la réponse qu'il attendait, car il remonte dans le bus et se met au volant. Nous repartons.

Nous nous élevons dans la montagne. Les routes sont sinueuses, bordées d'arbres qui forment une voûte au-dessus de nous. Le soleil se couche déjà en cette fin d'après-midi. Une fille à l'arrière essaie de lancer un jeu, mais personne ne lui répond.

Enfin, nous devinons les derniers lacets à la lueur des phares. Plus personne ne parle, nous sommes pris par la fatigue et par l'inquiétude de découvrir notre destination. Un long chemin de pierre, un grand mur d'enceinte…

Nous y sommes.

Nous descendons du véhicule, désorientés. D'autres militaires nous accueillent.

Voici ce que nous découvrons : des baraquements à un seul étage, sept ou huit me semble-t-il, disséminés sur une grande cour de béton. Des projecteurs installés sur le mur éclairent les bâtiments d'une lumière blanchâtre. On nous sépare : filles d'un côté, garçons de l'autre. Mon groupe est dirigé vers le baraquement A. Une entrée, avec des sandwichs et des pâtisseries sur des tables. Et un dortoir, avec une cinquantaine de lits. Un type vient nous annoncer qu'on nous en dira plus le lendemain et nous conseille de dormir. Il précise que les lumières seront éteintes dix minutes plus tard. À neuf heures précises… Ça promet ! Je crois qu'aucun de nous n'a plus envie de réfléchir, alors nous obéissons sans discuter.

Une base militaire désaffectée, réaménagée à la hâte pour nous accueillir : c'est ce que je comprends au matin quand, après un petit déjeuner vite expédié dans un grand réfectoire – le bâtiment C, les filles sont au B –, nous nous aventurons dehors. Un parcours du combattant en ruine dont les agrès (poutres, filets d'escalade, portiques) sont brisés. Des rouleaux de fil de fer barbelé qui devaient limiter la circulation dans le camp. Une odeur de peinture flotte dans l'air, preuve que des travaux viennent d'être terminés.

On nous laisse quelques minutes de liberté avant de nous regrouper devant le bâtiment principal. Un militaire nous explique comment nous allons vivre ici – et, à cet instant seulement, je réalise que nous ne sommes pas simplement partis pour une expédition étrange. Il ne s'agit pas d'une obligation provisoire, d'une contrainte de quelques heures qu'il faut bien accepter. Oui, nous allons vivre ici.

Pour longtemps.

Deux autres bus rejoignent le camp. Ils ont voyagé toute la nuit ; l'un regroupe des lycéens d'un autre lycée de ma ville, l'autre vient de Bordeaux. Visiblement, il s'agit de nous mélanger et de nous séparer à la fois. Que craignent-ils ? Ou plutôt, qu'espèrent-ils ? Si nous ne nous connaissons pas, il nous sera sans doute plus difficile de réagir. De nous réorganiser. En même temps, le fait de ne pas être complètement perdus parmi une foule d'inconnus nous rend sûrement moins anxieux, plus calmes.

Les voyageurs descendent, hagards, et sont guidés vers les baraquements A et B. Un garçon resté dans le bus refuse de sortir ; deux soldats se précipitent et le jettent presque dehors. Il tombe à genoux ; le bus qui redémarre le frôle et le recouvre de poussière.

Pendant le déjeuner, trois militaires nous surveillent. Deux hommes et une femme, tous trois jeunes. Visiblement, ils s'ennuient. L'un d'eux réprime des bâillements à grand-peine. Ils échangent quelques mots, déambulent dans la salle et reviennent à leur poste, devant la porte.

L'un des hommes est à moins de deux mètres de notre table quand il s'arrête brusquement. Une quinte de toux le plie en deux. Il tombe à genoux et semble ne jamais devoir s'arrêter de tousser. Alors, les deux autres soldats s'agitent. La jeune femme saisit son talkie-walkie et demande de l'aide ; l'homme se précipite vers son compagnon à terre. Celui-ci suffoque, arrache son masque comme s'il lui brûlait le visage. Déjà, un médecin fait irruption dans le réfectoire, suivi par deux brancardiers. Le médecin prend le pouls du soldat et crie « Oxygène, vite », puis « Tout le monde sort, immédiatement ». Nous nous bousculons pour évacuer le bâtiment le plus vite possible.

– On vient à peine d'arriver et déjà leur plan ne marche pas, constate Lucie d'une voix blanche.

Elle a raison. Les soldats nous ont mis à l'écart pour que nous ne contaminions personne, mais eux-mêmes sont en danger.

– C'était donc vrai, souffle Benjamin. Il n'y a que des ados et des soldats ici. C'est nous qui transmettons le virus. Ces morts, la panique en ville, les flics partout, c'est de notre faute !

Je suis écrasé par ses paroles, mais je ne trouve rien à répondre. On ne voulait pas vraiment y croire jusqu'à maintenant. On se méfiait des émissions qu'on voyait à la télévision, des déclarations des ministres. Ça semblait trop simple de nous désigner comme coupables. Mais ici, la vérité s'impose : nous répandons l'épidémie.

Lucie a l'air d'avoir suivi le cours de mes pensées :

– Et même si c'était vrai ? Nous n'avons pas voulu tout ça ! On nous traite comme des criminels qu'on jette en prison.

– Je les comprends, murmure Benjamin. On devenait dangereux…

– Non ! crie Lucie. Et s'ils nous avaient expliqué ? S'ils nous avaient simplement demandé de nous éloigner pour un temps ? Moi, j'aurais accepté, pour protéger ma famille.

En quelques minutes, les soldats évacuent le camp. Ils se réinstallent à l'extérieur, de l'autre côté du mur d'enceinte. La comédie n'aura pas duré longtemps : nous n'essaierons plus de prétendre vivre comme avant. Nous sommes mis à l'écart, pour de bon.

Fin de journée. La nuit tombe. Le camp est balayé par un vent froid. Nous sommes rentrés dans les dortoirs. Des petits groupes se forment, autour des radios que les plus prévoyants ont emportées. Sans téléphones portables nous ne pouvons pas communiquer avec l'extérieur ; au moins pouvons-nous savoir ce qu'il s'y passe. Les programmes habituels sont interrompus ; toutes les stations couvrent en direct les progrès de l'épidémie. Partout en France, la panique monte. À Marseille, un quartier entier a été bouclé. Les barres d'immeubles étaient largement contaminées. Le journaliste mentionne des adolescents qui ont refusé d'être évacués et qui se cachent dans les caves, ce qui empêche d'endiguer le virus. L'hôpital de Lille, surchargé, refuse tous les nouveaux malades. Les soldats qui surveillaient le camp installé près de Rennes ont été touchés les uns après les autres par le Zéro ; des renforts ont dû être appelés en urgence. À Paris, le trafic du métro est interrompu pour limiter les contacts et les risques de contagion. Le présentateur de France Info s'interroge : Les camps de regroupement des 13-18 ans vont-ils être efficaces ? Il interviewe un invité, qu'il présente comme « un dirigeant du Centre Stratégique de Santé » – l'organisme dont Antoine a parlé à maman.

– Vous avez donc la confirmation que les adolescents sont responsables de la contagion ?

Responsables. Le mot nous choque. Est-ce que tout cela est de notre faute ?

– Ils sont certainement un vecteur de transmission de la maladie. Sont-ils les seuls ? Nous n'en sommes pas certains. Et il semble que les masques ne sont pas suffisants pour éviter la contagion. En attendant d'en savoir davantage, il est prudent de maintenir les mesures d'isolement.

– Comment comptez-vous protéger les militaires qui gardent les camps ?

– S'il le faut, nous utiliserons des combinaisons antibactériennes.

Le journaliste insiste :

– Vous comprenez l'inquiétude de nos concitoyens... Comment peuvent-ils avoir confiance...

– Je vous ai dit que nous réfléchissions... C'est tout ce que je peux vous dire aujourd'hui.

Nous sommes abasourdis. Nous comprenons à quel point la maladie progresse vite. Benjamin est d'une pâleur de lune.

– C'est de notre faute, répète-t-il.

Peu de sommeil, cette nuit-là. Une petite bande se retrouve pour discuter, ressasser les mêmes questions.

– Comment vont-ils faire, maintenant qu'ils ne peuvent plus entrer dans le camp ? demande Benjamin. Il faut quand même qu'ils nous apportent de quoi manger.

– Ils vont trouver un truc, c'est sûr, je dis. Ils ne vont pas nous laisser mourir de faim.

Franck est là aussi :

– Arrêtez de vous plaindre ! On ne les a plus sur le dos, c'est ça qui compte ! On va pouvoir explorer le camp, et essayer de comprendre comment se tirer d'ici !

Matthieu, bien sûr, n'est pas d'accord :

– Tu veux t'évader ? Et contaminer encore plus de gens ?

Je sens que Benjamin est touché par l'argument de Matthieu.

– Il a raison. Au moins tant qu'on est ici, personne ne risque rien.

Il est presque trois heures. Les mots ne veulent plus rien dire. Je suis épuisé, je suis perdu. Je m'allonge sur mon lit et m'endors aussitôt.

Nous comprenons la nouvelle règle du jeu dès le lendemain matin. Personne au réfectoire quand nous venons petit-déjeuner. Les plus affamés d'entre nous sortent dans la cour. Là-bas, derrière la grille, quelques soldats nous font signe. Devant l'entrée, de notre côté, sont alignés des sacs de pain et de grands Thermos de café. Quand nous nous approchons, nos gardiens reculent précipitamment, l'air terrorisé. Je suis à la fois surpris et exalté : nous leur avons obéi sans discuter mais maintenant ce sont eux qui ont peur de nous.

Les premiers arrivés se précipitent sur le pain et se servent, arrachant des morceaux à même les sacs. D'autres attrapent un Thermos, hument avidement l'odeur de café et s'enfuient, bien décidés à en profiter seuls. Mais une voix forte interrompt la curée. C'est Franck.

– Qu'est-ce que vous faites ?

Les pillards s'immobilisent, confus.

– C'est chacun pour soi, c'est ça ? Vous croyez qu'on va survivre, comme ça ?

Sans nous laisser le temps de réagir, il distribue les ordres :

– Vous quatre : le pain. Vous l'amenez au réfectoire. Et vous là-bas, vous prenez les Thermos.

Voilà, en quelques mots, Franck a ramené le calme. Certains maugréent, protestent à voix basse, mais personne ne conteste ses ordres.

L'après-midi même, un foyer de révolte s'enflamme parmi les Bordelais. Je suis dehors quand ils font irruption dans le baraquement. Une fille crie « On sort ! » et un garçon renchérit, « Tous ensemble ! ». Comme ils ont l'air soudés ! Ils courent jusqu'aux grilles où, déjà, les soldats sont en alerte. Les cris fusent : « Laissez-nous sortir ! » Ils secouent les barreaux, mais que peuvent-ils faire contre le métal ? Celui des grilles, des armes des soldats, celui des véhicules militaires garés quelques mètres en arrière ?

Soudain, Franck est là, à côté de moi.

– Allez, ne reste pas là, fais sortir les autres !

Je me précipite dans le dortoir :

– Dehors, vite, tout le monde dehors.

Quand je ressors, les lycéens secouent la grille comme des démons qui voudraient dégonder la porte des enfers et jaillir à la lumière, toutes griffes et canines dehors, furieux et joyeux.

– On y va tous ! crie Franck.

Nous nous ruons vers la porte du camp à notre tour. Je me fraie un chemin au milieu des garçons et des filles qui hurlent.

– Il faut escalader, je crie.

– Vas-y, je t'aide.

J'empoigne les barreaux et je sens que Franck me pousse vers le haut. Mais, bien avant que j'atteigne le sommet de la grille, les soldats entrent en action. J'ai déjà vu des canons à eau, dans des reportages à la télévision. Des images d'archives, floues, avec des groupes de manifestants cagoulés qui hurlent en levant le poing. Et des policiers casqués qui s'écartent pour laisser passer un camion, brandissent des lances d'incendie et déchaînent les éléments. Des jets d'eau qui claquent comme des fouets et renversent les contestataires, dessinent de larges trouées dans leurs rangs.

Je m'envole, projeté en arrière. Je retombe lourdement sur le ciment et je reste allongé là, le souffle coupé, incapable de me relever. Une fille veut m'aider mais elle est fauchée à son tour. Un temps, on dirait qu'elle va résister à la pression de l'eau, mais elle se tord, comme un arbre bousculé par une rivière en crue, et part dans une longue glissade. Le déluge s'arrête enfin. Profitant du répit, je me relève et suis les autres qui abandonnent le champ de bataille.

Franck m'a rejoint.

– Je crois que c'est clair maintenant…

C'est parfaitement clair, oui. On ne nous laissera pas sortir d'ici. Mais je veux prendre la mesure de notre prison, en comprendre les limites. J'attrape Benjamin par le bras, et, pour la première fois, nous nous éloignons des baraquements. Le plan est simple : suivre le mur d'enceinte pour ne pas nous perdre.

Le camp est bien plus grand que nous l'imaginions. Nous nous enfonçons vite dans les bois de plus en plus touffus. L'atmosphère est extrêmement humide et l'odeur de pourriture des feuilles en décomposition au pied des arbres est oppressante. Un chemin a été dégagé entre le mur et les premiers arbres. Benjamin comprend le premier :

– Ils ne veulent pas que l'on tente de franchir le mur depuis les arbres.

– Il faudrait déjà se débarrasser de ça !

Je lui montre les fils de fer barbelés qui couronnent le mur.

– Y penser, c'est déjà en avoir envie…

Il a raison. Nous ne pouvons pas rester là sans réagir.

– Et par en dessous ? Tu crois que c'est possible ?

J'attrape une branche de bois mort et je commence à creuser. La terre est molle et je progresse facilement.

– À mon tour !

Benjamin me relaie, je suis juste à côté de lui, certain que nous avons trouvé la solution.

– Non, non…

Le bâton bute sur un obstacle, Benjamin ne parvient plus à l'enfoncer. Tous les deux à genoux, nous dégageons frénétiquement la terre avec nos mains, découvrant la chape de béton sur laquelle repose le mur.

– Il faudrait des outils…

– Il faudrait surtout des jours avant d'arriver à creuser ce truc. Qui sait jusqu'où ça descend ?

Nous nous relevons, découragés.

– On est vraiment bloqués ! Comment on va faire ?

Je n'en sais vraiment rien.

– On attend, j'imagine… On finira bien par trouver une faille.

Je le découvre assis à même le ciment, caché derrière un baraquement. Le garçon qui ne voulait pas descendre du bus. Il a les jambes repliées contre sa poitrine, la tête entre ses genoux. Je réalise qu'on ne le voit jamais au réfectoire, ni à la salle de bains commune. Est-ce qu'il a mangé quelque chose depuis son arrivée au camp ?

– Salut…

Sa seule réaction est d'enserrer plus fort encore ses jambes entre ses bras.

– Tu devrais rentrer… Il fait super froid, ici.

Il ne répond toujours pas.

– Tu as faim ?

Peut-être un vague mouvement de la tête, mais je n'en suis pas sûr.

– Attends, je reviens.

J'ai un stock de pain dans l'étagère au pied de mon lit, pour quand les nuits sont trop longues, que je me tourne et me retourne sans trouver le sommeil. Il ne me faut que quelques minutes pour être de retour près de lui. Il attrape le pain sans me regarder – je n'ai pas encore vu ses yeux.

Je le laisse manger ; dévorer plutôt.

– Tu ne veux pas rentrer ?

Il secoue la tête.

– OK, je vais te laisser, alors... Si tu as besoin d'un truc, tu peux toujours passer.

Je m'éloigne déjà quand il me rappelle.

– Attends... Me laisse pas !

Je n'ai jamais entendu une voix pareille. Non, pas une voix. Une plainte, plutôt, qui ne sort pas de sa gorge mais de beaucoup plus profond.

– Maman est toujours là, l'après-midi.

J'essaie de comprendre ce qu'il veut dire.

– Tu habites où ? Tu allais dans quel lycée ?

Il relève enfin la tête.

– Je ne sors jamais.

– Jamais... Tu ne vas pas au lycée ? Tu suis des cours par correspondance ?

– Je ne sors jamais de chez moi. Pas depuis... que j'ai dix ans.

J'imagine une maladie, je pense à ces enfants sans défenses immunitaires.

– Je ne veux pas être avec les autres...

– Tu préfères la vie en famille, quoi. Tu es bien le seul !

Ma plaisanterie tombe à plat.

– Ma famille non plus. Je m'enferme dans ma chambre quand ils rentrent.

– Mais ils t'ont forcé à sortir, pas vrai ?

J'imagine : depuis six ou sept ans coupé du monde, et les flics qui débarquent chez lui, le forcent à préparer ses affaires. Ses parents qui tentent d'expliquer qu'il ne pourra pas survivre dehors, qu'il ne supporte pas la compagnie des autres, mais les policiers sont inflexibles ; ils ont des ordres. Ils envahissent sa chambre, son sanctuaire. Il a dû se terrer dans un coin, le visage face au mur, et ils l'ont empoigné, l'ont soulevé par les épaules pour le porter jusqu'au bus qui attend en bas. Il s'est sûrement réfugié sur la dernière banquette, les mains sur les oreilles et les yeux fermés, et il est resté ainsi tout le long du voyage, parce qu'il ne supporte pas de voir ceux qui l'entourent, et que le monde extérieur, derrière la vitre, est tout simplement trop vaste et incompréhensible.

– Allez, viens, on va te trouver une place tranquille…

Je rentre dans le baraquement, suivi par le fantôme à demi dissimulé derrière moi. Je fais signe à Benjamin.

– Il a besoin d'un coin à lui… Tu as une idée ?

– C'est qui ?

C'est vrai, je ne lui ai même pas demandé comment il s'appelle.

– J'aime pas que les gens connaissent mon nom…

– Parce que tu ne veux pas qu'ils te parlent, c'est ça ? Mais maintenant tu es ici, avec nous… Et on va t'aider. Alors ?

– Lucas. C'est Lucas.

– Je crois que je sais où trouver ce qu'il te faut. Vous m'attendez ici ?

Benjamin disparaît quelques minutes et revient en poussant un de ces paravents qui servent à cacher les malades pendant les consultations médicales. En quelques minutes, nous isolons un lit au fond du dortoir.

– Voilà… Ça ira, comme ça ?

Lucas hoche la tête. Je comprends qu'il a besoin d'être seul, à présent. Il a sans doute plus parlé au cours de la dernière demi-heure que pendant les dernières semaines de sa vie d'avant. Nous le laissons, assis sur son lit, le regard braqué sur le mur.

5. Le camp des fourmis

Depuis le premier matin, Franck se charge du ravitaillement. Personne ne lui conteste cette responsabilité ; peut-être nous sommes-lui reconnaissants d'avoir ramené l'ordre, de nous avoir évité de nous battre pour la nourriture ? Il s'est choisi deux assistants, Benjamin et moi. Le rituel s'est vite imposé : au réveil, nous allons chercher les grandes cantines en fer posées devant la grille. Sous le regard des soldats, nous les ramenons dans une baraque isolée, dont, je ne sais comment, Franck s'est procuré la clé. On y stocke les filets de pomme de terre, les conserves, le lait et tout ce que l'on veut bien nous donner. Nous trois seuls avons le droit de distribuer les réserves, que les préposés à la cuisine – eux aussi désignés par Franck – viennent nous demander. Nous déjeunons ou dînons tous ensemble au réfectoire, puis une équipe de trois lycéens, différente chaque fois, se charge de débarrasser. Pour tout le monde, il semble évident que ni Franck ni moi ou Benjamin n'avons à nous occuper de la préparation des repas ou du rangement, et j'ai l'impression d'être privilégié. On m'aborde de temps à autre pour me demander un petit extra – une barre de céréales en plein milieu d'après-midi – mais je ne cède pas. J'ai conscience que la discipline est nécessaire au bon fonctionnement de la communauté.

Bien sûr, Lucas ne mange jamais avec nous. Il semble s'habituer peu à peu à son recoin, mais il n'est pas assez solide pour se confronter aux autres. Seuls Benjamin et moi lui adressons la parole, et nous nous contentons, en guise de réponses, de quelques mots qui forment à peine des phrases, mais qui suffisent à comprendre son histoire. Il a commencé à être malade quand il est entré au collège. C'est d'abord la cour de récréation qui a été pénible : le bruit, les enfants qui couraient en tous sens… Le matin, il arrivait en retard, puis il a demandé à rester en classe entre deux cours, mais la classe elle-même lui est devenue insupportable. Il racontait à ses parents qu'on lui en voulait, qu'on le suivait dans la rue. Il dit qu'il voyait des monstres dans l'ombre des murs, dans les flaques d'eau, derrière chaque arbre. Qu'au début, ses parents l'ont forcé à y retourner.

Je ne lui demande pas ce qui les a fait changer d'avis. Je suis au plus près du secret de Lucas, et je ne suis pas sûr de vouloir connaître le passager sombre qu'il porte en lui…

Depuis notre arrivée, Matthieu semble avoir perdu la parole. Il est convaincu que nous sommes surveillés en permanence. Dix fois, j'ai essayé de le persuader qu'il n'y a ici aucune caméra de surveillance, mais rien n'y fait : il est certain que nos faits et gestes sont épiés depuis l'extérieur. Il s'éloigne dès que les conversations tournent autour de nos projets d'évasion, qui ne sont pourtant que des mots lancés en l'air. Comme s'il s'attendait à ce que les soldats surgissent d'une minute à l'autre pour nous punir de vouloir nous enfuir.

Il est encore très tôt quand un bruit m'éveille. Je relève la tête : c'est Matthieu qui s'habille sans un bruit et se faufile hors de la grande pièce, ses chaussures à la main. J'attends quelques secondes, puis je décide de le suivre. Le soleil se lève à peine, mais je distingue sa silhouette qui se dirige vers la grille du camp. Pas un seul endroit pour se cacher, dans cette grande cour déserte : je dois rester à demi dissimulé derrière la porte du dortoir. Du côté de la grille, je devine Matthieu qui discute à voix basse avec des gardes invisibles. Mais l'envie de savoir ce qu'ils se disent devient trop forte alors, à mon tour, je traverse la cour et m'arrête à quelques mètres de Matthieu. Il ne m'a pas entendu arriver, et, comme je l'espérais, les soldats ne font pas attention à moi.

– Il faut que je le voie…

– Pas possible, répond une voix. Il n'y a personne qui commande, ici. Le lieutenant est reparti.

– Mais je dois lui parler…

– Allez, petit. Il est tôt, retourne te coucher !

– Je les ai entendus, dans le dortoir, ils ne parlent que de partir…

– Et alors ? répond la même voix grave et fatiguée. Je peux comprendre ça, nous aussi, on aimerait bien rentrer. Pourquoi tu viens me raconter tout ça ?

– Il faut que je sorte d'ici, s'il vous plaît. S'il vous plaît !

– Et tu crois que ça va marcher en mouchardant tes copains ?

– Non, ce n'est…

– Allez, ça suffit. Personne ne sortira d'ici, et ça vaut pour toi aussi.

Matthieu a compris, il se retourne lentement et me découvre, juste devant lui. Il blêmit et bredouille :

– J'a… j'avais mal à la tête. Mais ils n'ont même pas d'aspirine !

Je ne réponds pas. Il passe devant moi, la tête basse, et retourne vers le dortoir.

Le cinquième jour, les premières difficultés surviennent. Quand Benjamin et moi arrivons à la grille, le ravitaillement n'est pas là. D'abord, nous pensons qu'il est encore trop tôt. Nous finissons tout de même par héler les soldats, mais aucun ne réagit.

Ils ont tous du café et du pain. Visiblement, eux ont reçu de quoi s'alimenter.

Naïvement, nous n'avions pas prévu que la nourriture viendrait à manquer. Quelle effrayante capacité d'adaptation ! On nous enlève de chez nous, on nous emprisonne dans un endroit inconnu et nous, on continue à avoir confiance ! Je pense qu'on avait trop envie que tout cela soit « normal », « prévu ». Nous n'avons que seize ou dix-sept ans, pour nous les adultes maîtrisent forcément la situation. Bon, d'accord, on les critique pour leur routine, parce qu'ils ne réagissent jamais assez rapidement. Mais ils sont censés savoir, non ? Ils peuvent faire face à toute situation grave, n'est-ce pas ? Nous sommes coincés dans ce camp, très bien ! Il faut juste attendre. Être patient. On s'occupe de nous. On nous dépose de la nourriture. S'il y a un problème, nous pouvons toujours appeler les soldats.

Eh non. Tout cela est faux. Ils ont perdu le contrôle.

Lucie est devenue presque invisible. Dès l'aube, elle disparaît dans la forêt durant des heures. Plutôt que déjeuner avec nous, elle vient me demander quelques provisions qu'elle emporte pour une longue promenade dont elle ne rentre que le soir. Elle semble moins proche de Franck depuis que nous sommes arrivés ici, et j'ai envie de retrouver la complicité qu'elle et moi partagions au lycée. J'essaie de lui poser des questions, de savoir ce qu'elle fabrique mais, à chaque fois, elle me répond évasivement.

Un matin, pourtant, j'insiste, et elle finit par me parler.

– Tu préfères rester toute seule, c'est ça ?

Il doit y avoir une trace de rancœur dans ma voix, car elle me regarde avec surprise.

– Tu l'aimes tant que ça, la compagnie que nous avons ici ?

Je ne sais pas quoi répondre. C'est vrai que je cherche volontiers refuge auprès des autres.

– Je suis désolé...

Quelques instants de silence...

– Tu veux venir te promener avec moi ?

– Je voudrais bien, mais je dois rester ici, tu sais, pour la distribution du déjeuner.

– Je vois... C'est important !

Son ironie est aiguisée comme les dents d'un chaton quand il joue. Pourquoi me suis-je créé cette obligation ? Pour me sentir important ? Tout à coup, ça me paraît stupide, et je décide de la suivre.

La lisière de la forêt est une barrière noire que nous franchissons sans hésiter. La fraîcheur humide me surprend et je frissonne. Je regarde la nuque de Lucie qui marche quelques pas devant moi et j'ai envie de toucher sa peau, de la serrer contre moi. Elle doit sentir mes yeux posés sur elle parce qu'elle se retourne, et me sourit, comme pour me dire qu'elle comprend.

– Viens, je connais un endroit où on peut se poser.

C'est une sorte de clairière, presque un cercle parfait. Nous nous asseyons sur le tronc d'un arbre abattu.

– C'est paisible ici.

Ma phrase sonne banale à mes oreilles, mais c'est pourtant ce que je ressens, loin du camp.

– Je ne comprends pas…

Elle bouge légèrement, attendant la suite.

– Tu te souviens, au parc ? Vous aviez l'air de savoir ce qui allait arriver. Et maintenant que tu es ici, tu ne réagis pas. Je ne comprends pas. Franck, lui au moins, il prend les choses en main.

– Thomas…

Elle hésite.

– C'est vrai… J'ai voulu te prévenir. Mais qu'est-ce que tu imaginais ? Qu'à quatre ou cinq, on pourrait résister à tout ça ? Ne m'en veux pas, mais…

– Quoi ?

– Pourquoi veux-tu toujours obéir ?

Je me force à rire, comme si elle plaisantait.

– D'abord, tu ne pouvais pas imaginer qu'on nous forcerait à quitter nos parents. Et maintenant qu'on nous a envoyés ici, tu cherches encore quelqu'un, Franck, ou moi ou n'importe qui, pour te dire quoi faire.

– Mais il faut bien qu'on s'organise !

Elle plonge dans ses pensées. Relève finalement la tête.

– J'ai vécu dans un foyer jusqu'à seize ans. Un endroit sombre, perdu. Dans la montagne.

– Qu'est-ce que tu faisais là-bas ?

– Peu importe. J'avais cinq ou six ans quand j'y suis arrivée. Ça me semblait immense, des couloirs sans fin, des dortoirs où nous dormions à plus de vingt. Les… Je ne sais même pas comment les appeler… les surveillants, les gardiens, ils étaient plutôt gentils, mais, pour eux, tout ce qui comptait, c'était que nous restions calmes. Tu peux essayer d'imaginer : des enfants qui doivent chuchoter, à qui on interdit de courir. Je me souviens d'un type qui répétait : «Vous n'êtes pas là pour jouer.» Pourtant, ce n'était pas si mal. Je n'étais pas malheureuse. J'avais des cours de danse, trois fois par semaine. Et heureusement, on s'organisait, comme tu dis. Les plus âgées des filles distribuaient les lits, les tours de douche. On recevait de temps en temps des colis de l'extérieur, et on partageait. Enfin, les grandes décidaient qu'on devait partager. Mais la nuit, elles disparaissaient.

– Comment ça, elles disparaissaient ?

– Elles achetaient aux surveillants le droit de sortir, avec ce qu'elles avaient gardé des colis. Je n'ai pas su où elles allaient avant d'avoir l'âge, moi aussi. Elles m'ont initiée à voix basse. Et ça m'a paru presque ridicule : elles s'échappaient juste quelques heures au village du coin. Mais je n'ai jamais voulu entrer dans la combine. Piquer des barres de friandises à des gamines de sept ans pour quelques heures de liberté.

– Tu as refusé de participer ? Tu n'as pas dû te faire des copines !

– Tu peux le dire…

– Elles se sont vengées ?

– Je n'ai pas envie d'en parler. Mais, tu comprends, depuis, je me méfie. Je ne me rallie pas.

Je sais qu'elle n'en dira pas plus, mais je suis heureux qu'elle se soit confiée à moi. La jalousie que j'éprouvais envers Franck me paraît stupide, maintenant. Je suis presque heureux pendant que nous retournons en silence vers le camp.

– Hé, toi ! Matthieu !

Nous mangeons en silence, éparpillés dans le réfectoire. Mais la voix de Franck nous fait relever la tête. Certains sont fatigués, et ne souhaitent qu'une chose : profiter tranquillement de leur repas ; d'autres sourient déjà, car quand Franck se manifeste ainsi, le spectacle est garanti. Et il vaut mieux lui montrer qu'on est de son côté.

– Je t'ai vu, hier matin. Tu parlais aux soldats.

Je suis assis face à Matthieu. Je vois les couleurs quitter son visage comme celles d'une affiche décolorée par la pluie. Il sait déjà qu'il n'y peut plus rien, que la colère de Franck va s'abattre sur lui. Je devine qu'il réfléchit aussi vite qu'il peut, que cent idées traversent son esprit, qu'il veut se lever et s'enfuir, ou trouver le mot juste, la bonne blague qui mettra les rieurs de son côté. Mais c'est inutile, il le sait aussi bien que moi.

– Tu faisais ami-ami, c'est ça ? Pour qu'ils te laissent rentrer voir papa ?

Franck est tout près de nous maintenant. Il pose une main sur mon épaule pour m'empêcher de me lever et de prendre la défense de Matthieu. Il imagine que je vais me dresser face à lui. Bizarrement, je ne suis pas sûr d'en avoir le cran, et cette pensée me met mal à l'aise.

– Et moi, ce qui m'intéresse, c'est de savoir ce que tu leur as proposé en échange… Parce que c'est comme ça que ça marche, non ? On n'a rien sans rien !

Il lâche mon épaule et saisit Matthieu par le col de sa chemise, le force à se lever. Les lunettes de Matthieu tombent et il a l'air désarmé, aveuglé, comme après un trop long séjour sous terre. Franck est tellement plus fort : d'une bourrade il l'envoie à terre. Matthieu s'écroule lourdement, des rires fusent. Je sens que dans quelques secondes il va pleurer, et là il perdra toute chance d'être respecté.

– Arrête, Franck !

Lucie vient d'entrer dans le réfectoire. Comment fait-elle pour dégager une telle autorité, elle si menue, si pâle que ses lèvres font comme une tache rouge sur son visage ?

– Te laisse pas faire, Franck ! lance quelqu'un.

Les rieurs se réjouissent de ce rebondissement. Une chance de plus pour leur champion d'écraser toute opposition ?

Lucie fixe un garçon au fond du réfectoire.

– Te laisse pas faire par une fille ? C'est ça que tu veux dire ? Bien planqué au fond ?

De nouveaux rires, plus hésitants, cette fois. L'hostilité change de direction comme un voilier chahuté par le vent. Nous en sommes là, à suivre celui qui aura le dernier mot. J'admire le sang-froid de Lucie. Elle a réduit tout le monde au silence et, maintenant, elle s'approche de Franck.

– Qu'est-ce que tu fais ? demande-t-elle. On avait dit qu'on s'aiderait, si jamais ils nous enfermaient. Tu te souviens ?

Il jette un regard à la cantonade, comme s'il cherchait un allié. Mais personne ne bronche.

– OK, OK, je me suis laissé emporter…

Il recule de deux pas. S'arrête.

– Mais qu'il ne parle plus aux soldats.

C'est fini. Lucie aide Matthieu à se relever. Je me précipite pour ramasser ses lunettes – quel acte de bravoure, maintenant que tout est fini ! Celui qui était mon ami les prend sans un mot, et il sort du réfectoire sans se retourner.

Rien ne nous est livré non plus le matin suivant. Il y a une queue interminable devant le baraquement où sont stockés les vivres. Il reste quelques provisions des jours précédents. Nous organisons le rationnement : nous sommes près de cent, et il faut nous assurer que chacun n'est servi qu'une fois. D'abord, nous prenons les noms, mais certains mentent, et nous ne pouvons pas nous souvenir de chaque visage. Alors, nous dessinons un signe sur le dos de leur main, mais certains l'effacent. Quand Franck comprend le stratagème, il sort du baraquement en furie.

– Vous voulez tricher ? Vous voulez jouer à ça avec moi ?

Il hurle, parcourt la cour en agitant les bras.

– Vous l'aurez voulu. On distribuera autant de rations que nous sommes de lycéens dans ce camp. Si certains sont assez malins pour en avoir deux, tant pis pour les autres.

Ceux placés au bout de la queue réalisent qu'ils n'auront rien. Ils commencent à protester mais Franck crie plus fort encore.

– Je m'en fous ! Réglez vos comptes entre vous. Moi, j'essaie juste d'organiser le truc.

Un type sort du rang. Je me souviens l'avoir remarqué dans le groupe qui partait à l'assaut de la grille. Grand, costaud, une écharpe autour du cou. Paul, je crois.

– « Organiser » ? Personne ne t'a rien demandé !

Franck se fige, comme s'il venait d'être heurté par la foudre. En trois pas, il est face à l'autre. Je crois qu'il va hurler. Mais il le frappe, d'une droite sèche au creux du ventre. Paul se plie en deux sous la douleur et se laisse tomber à genoux. Ses lèvres sont décolorées, ses joues neigeuses. Il relève la tête, à la recherche d'oxygène. Franck se penche vers lui ; il lève le poing puis finalement renonce.

– Tu passeras ton tour aujourd'hui. Et peut-être demain.

Personne n'ose protester. Franck vient définitivement de prendre le contrôle du camp.

La distribution de nourriture se poursuit en silence, pendant de longues minutes. Quand enfin le dernier est servi, Franck referme les portes du baraquement sur nous.

– À notre tour, maintenant. Prenez ce que vous voulez.

Comme il voit que Benjamin et moi hésitons, il insiste :

– On l'a mérité, non ? On se tape tout le boulot !

Je voudrais dire que c'est lui qui s'est porté volontaire, mais je n'ose pas. Pas après ce qui est arrivé à Paul.

– Depuis le premier jour, j'ai compris que ça allait être dur. Qu'il n'y en aurait pas pour tout le monde.

– Pourtant, tu voulais résister…, je dis enfin. Dans le parc, c'est ce que tu m'as dit. Et maintenant, tu joues au petit chef.

Il réfléchit quelques secondes.

– Et alors ? Tu préfères rester ici, avec moi, ou rejoindre les autres ?

– Pourquoi tu m'obligerais à choisir ? On peut pas s'en sortir tous ensemble ?

– Vas-y, essaie ! Parle-leur, essaie de les mettre d'accord. Ils sont même pas foutus de s'organiser pour la bouffe !

– Je sais pas… Tu as tabassé ce type. Ça ne va pas nous aider à rester unis, non ?

Franck est étonnamment calme.

– D'abord survivre les gars, d'abord survivre.

Il sort sans un regard pour nous.

– Vous fermerez !

J'enfourne un sandwich. Lui n'a rien mangé.

Deux jours plus tard.

Deux lycéens ont essayé de s'enfuir la nuit dernière. Les soldats les ont repris, et ils les ramènent au camp. Quand ils sont certains que nous sommes tous levés. Pour faire un exemple. Nous montrer qu'il n'y a pas d'issue. Ils portent des masques à gaz, et ils poussent devant eux le garçon et la fille. Comme dans un mauvais film de science-fiction, avec des machines-soldats qui auraient pris le contrôle de la terre et réduit l'humanité en esclavage. Les soldats reculent vers la grille, sans nous quitter du regard. Une semaine seulement, et nous ressemblons à des réfugiés de guerre, les yeux cernés, les joues creusées. La peur est devenue notre compagne familière, elle dompte heure après heure notre volonté de révolte.

Les deux fugitifs traversent lentement la cour. Il est évident qu'ils ont pleuré, qu'ils n'ont pas dormi. Leurs vêtements sont maculés de terre, le garçon a un coquard sur l'œil. Je ne sais pourquoi nous ne courons pas au-devant d'eux pour les réconforter – malgré la curiosité, l'envie de savoir ce qui leur est arrivé. Cela, ils nous le raconteront beaucoup plus tard : comment ils ont bandé leurs mains avec des draps déchirés et se sont enfoncés dans les bois. Comment ils ont utilisé le sommier d'un lit comme échelle et comment ils ont franchi les barbelés, pour tomber sur une patrouille de soldats juste de l'autre côté du grillage. Pour le moment, ils traversent nos rangs silencieux, messagers malheureux d'une nouvelle désespérante : on ne peut pas s'enfuir.

Ils sont de plus en plus nombreux à nous demander des passe-droits pour la nourriture. Bien sûr, ils promettent des choses en échange – même s'ils n'ont presque rien à offrir : je rangerai ton coin ; j'irai te chercher à boire ; je te protégerai ; je resterai près de toi quand tu dormiras.

Benjamin est très entouré, peut-être parce que j'ai refusé toutes les propositions. Je le vois changer jour après jour. Il profite de sa nouvelle popularité, il se croit séduisant ; il aime être au centre des regards quand il vient s'installer au réfectoire, quand il traverse la cour. J'essaie de lui dire que sa popularité disparaîtra si Franck lui retire la distribution du ravitaillement. Au début, il m'écoute patiemment, puis il se lasse :

– Tu sais, Thomas…

Même sa manière de parler a changé. Son ton est devenu condescendant.

– Tu ne comprends pas ce qui se passe ici. Certains d'entre nous se débrouillent mieux que d'autres, quand la situation est difficile.

Je crois entendre Franck ! J'insiste :

– Tous ceux qui viennent te voir… Ils ne s'intéressent pas vraiment à toi. Juste à ce que tu peux faire pour eux.

Benjamin soupire.

– Tu n'as qu'à en profiter aussi…

Il s'éloigne.

Ils sont une trentaine regroupés devant la baraque des vivres, et je comprends tout de suite qu'ils n'ont pas l'intention de faire la queue docilement. Je vois leurs visages fatigués, les habits tachés et je sais que je suis comme eux, à bout. Ils ont choisi leurs chefs. Paul et Matthieu s'avancent vers nous.

– C'est fini, votre petit système, dit Paul. Vous vous servez, et il ne reste rien pour nous.

Je choisis de m'adresser à Matthieu.

– Tu sais bien que ce n'est pas vrai… On ferait jamais ça !

Benjamin renchérit :

– On ne sait pas encore quand ils vont nous livrer de la nourriture ; on économise, c'est tout.

Matthieu évite de croiser mon regard. Au contraire, il cherche l'appui de Paul.

– Vous n'écoutez pas ce que je vous dis, proteste Matthieu. Vous êtes comme des gamins, toujours à rêver de vous barrer. Vous êtes pitoyables avec vos petits complots. On ferait mieux d'essayer de se mettre d'accord avec eux… Leur demander ce dont on a besoin, s'ils peuvent nous donner des nouvelles de nos familles.

– Eux ? demande Benjamin. Tu veux dire les soldats ?

– Si on discute, ça se passera mieux, dit Paul. Regarde ce désordre, personne ne nettoie les baraquements, on jette tout par terre, comme si quelqu'un allait s'en occuper pour nous.

Il a raison : la cour du camp est jonchée d'ordures, les restes de nos repas. Les toilettes sont immondes. Et personne ne prend la peine de nettoyer les chambrées.

– Ils disent qu'ils veulent qu'on choisisse un représentant. Quelqu'un pour discuter avec eux.

– Et ça serait toi, bien sûr ? demande Benjamin.

– Le père de Matthieu a des contacts, explique Paul. C'est sûr qu'il doit pouvoir nous aider.

– Je ne vous l'ai pas dit, mais il bosse pour le gouvernement. L'organisation qui a coordonné l'évacuation.

– Et Papounet n'a même pas été capable de te garder à la maison ?

Je suis presque surpris de la méchanceté du ton de ma voix.

– Tu rigoles ? Pas question que je me défile, c'est pour le bien de tous, il a été très clair là-dessus. Mais il sait que je suis ici et il peut nous rendre la vie plus facile.

– À condition… ? demande Benjamin.

– À condition que vous nous laissiez faire, répond Paul. On prend les choses en main. Plus de tentatives d'évasion, plus de bagarres entre nous. On se rend la vie aussi agréable que possible en attendant qu'on nous laisse partir.

J'aperçois Franck qui se dirige vers nous.

– Salut, Paul, dit-il. Tu veux encore discuter ?

Il affiche son habituel air assuré, mêlé d'ironie, mais le rapport de force a changé. Une trentaine de garçons et de filles nous font face, maintenant.

– Ils sont où, tes amis ? demande Paul.

La réponse est : sortis du dortoir, en train de nous observer. Mais il est clair qu'ils n'interviendront pas.

– Il va nous falloir les clés, Thomas, dit Matthieu. Tu ne vas pas soutenir ce type qui nous a pourri la vie au lycée ?

Il tend la main. Je ne sais plus quoi faire.

– Il s'est pas mal débrouillé jusqu'ici, non ?

– Oui, pour ses potes, précise Paul. Vous vous servez tranquillement, et vous croyez qu'on va laisser faire ? Allez, tu files les clés, maintenant !

Je regarde Franck, qui secoue la tête et s'éloigne sans rien dire. Je n'ai plus qu'à obtempérer.

– C'est mieux comme ça, Thomas, dit Matthieu. Tu vas voir, mon père va nous aider.

Mieux ? Le premier résultat, c'est que nous sommes deux camps, maintenant.

Depuis que Matthieu et Paul ont pris le contrôle de l'approvisionnement, les groupes se sont réorganisés. Franck vit au milieu d'une petite troupe de courtisans, garçons et filles. Ils sont moins nombreux, mais Franck leur promet que, bientôt, ils reprendront le pouvoir. Ils se sont progressivement regroupés dans le même coin d'un baraquement : d'abord, ils ont organisé des échanges de lit, en demandant son avis à chacun. Ça n'a pas duré, évidemment : celui qui ne fait pas partie du cercle de Franck et qui refuse de céder son lit retrouve ses affaires par terre. Et qu'il n'essaie pas de protester auprès de celui qui l'a délogé : il fait aussitôt face à une dizaine de visages hostiles qui lui font vite comprendre qu'il doit se résigner. Ils sortent ensemble, déjeunent, dînent et dorment ensemble. Moi, je ne fais plus partie du groupe : sans doute Franck me fait-il payer mon amitié avec Matthieu.

Lucie et moi sommes assis par terre devant le dortoir, profitant d'un rayon de soleil.

– Comment tu fais, Lucie ?

Elle me regarde sans comprendre.

– L'autre jour, au réfectoire… quand Franck s'en est pris à Matthieu parce qu'il avait parlé avec les soldats. Tu t'es interposée et tu es restée incroyablement calme. Je n'aurais jamais pu.

Elle soupire.

– C'est… Tu ne devrais pas m'envier.

Silence, encore. Elle pèse chaque mot avant de le prononcer, comme toujours.

– Je n'y peux rien… Je me sens… à l'extérieur. Tu vois, comme au musée ?

J'attends la suite.

– Je regarde autour de moi. Les gens, les situations. C'est comme si j'observais les tableaux d'une exposition. C'est parfois beau, ou terrifiant. Ça me plaît ou ça me dégoûte, mais ça reste des tableaux.

– Qu'est-ce qui t'est arrivé ?

La question est brutale, mais je sens que, juste sous la surface, l'esprit de Lucie est comme de l'eau prise sous la couche durcie d'un étang gelé. Et je suis certain qu'elle veut sortir de cette prison glacée. L'autre jour, dans les bois, elle m'a laissé entrevoir son esprit. J'ai envie de plus, mais je n'ose pas franchir le pas.

– Tu veux savoir la fin de l'histoire ? D'accord… Mais souviens-toi : je ne veux pas de ta pitié. Je me débrouille avec ça toute seule. Ça s'est passé une nuit, au foyer. Les filles m'en voulaient de ne pas participer à leur racket. Pourtant, je ne les avais pas dénoncées, j'étais juste restée à l'écart. Mais ça ne suffisait pas. Je dormais, mais du bruit m'a réveillée. J'ai vu des ombres qui venaient vers moi. Je ne savais pas si j'étais encore en train de rêver, et j'ai senti une main qui se plaquait sur ma bouche. J'ai eu peur, mais je reconnaissais chacune des filles autour de mon lit. On vivait ensemble depuis plusieurs années, on se serrait les coudes, qu'est-ce qu'elles pouvaient me faire ? Et puis j'ai vu la paire de ciseaux dans la main de l'une d'elles, et je n'ai pas compris tout de suite. On s'entendait bien, on était assises côte à côte en classe. On se rendait des petits services, tu vois, et elle était là, elle me menaçait. Elles m'ont forcée à me lever, et j'ai commencé à avoir vraiment peur.

Lucie parle de plus en plus vite.

– Elles m'ont tirée jusqu'à la salle de bains. Des petites se réveillaient, mais elles n'osaient rien dire, bien sûr. La règle était claire : les grandes commandent. Je me souviens comment j'ai été aveuglée par la lumière des néons, des cinq ou six filles qui m'entouraient, de leur excitation.

Lucie voit que j'imagine déjà le pire.

– Elles ne m'ont pas blessée, rassure-toi. Juste coupé les cheveux. Très, très court. Je suppose que dans leur esprit j'étais une sorte de collabo. Et pourtant, je n'avais rien dit. Alors tu vois, depuis, je n'éprouve plus beaucoup de sentiments. J'observe, mais je ne me sens pas concernée.

– Et pourtant, tu as pris parti pour Matthieu. Tu l'as défendu !

– C'est vrai… J'ai presque été surprise. Mais je sais pourquoi je n'ai pas eu peur. J'ai lu en Franck comme dans un livre ouvert ; c'est comme un jeu dont je connais les règles : tu es avec moi ou contre moi.

Je regarde sa peau neigeuse, je devine les veines qui charrient le sang brûlant. Je pose ma main sur sa joue et je me penche vers elle. Mais elle détourne la tête. D'un bond, elle est debout, et elle court vers la forêt.

Peut-être grâce à Matthieu, le ravitaillement a repris mais les livraisons sont aléatoires. Je soupçonne les soldats qui gardent le camp de se servir au passage. Désormais, Paul a la main sur la nourriture, et il fait payer cher ce privilège. Lui aussi a sa cour. Et son ombre, toujours derrière lui : Marie. Une fille du lycée, grande, efflanquée. Des cheveux noirs qu'elle repousse à chaque instant pour dégager un visage tout en longueurs et aspérités, où les seules taches de couleur sont ses yeux d'un vert sombre d'étang en hiver.

Elle est comme une planète en orbite autour de son soleil, jamais à plus de vingt mètres de Paul. Comme un vieux chien qui semble profondément endormi et pourtant relève la tête dès que son maître entre dans la pièce. Elle devance ses désirs, lui apporte à boire dès qu'il passe la langue sur ses lèvres, traverse le camp à toute heure du jour ou de la nuit pour réclamer le paiement d'une faveur qu'il a octroyée. Elle lave son linge, masse son dos, écarte les gêneurs quand il semble contrarié. Il l'appelle, l'embrasse, la repousse. Il la complimente, il se moque d'elle, il l'embrasse encore. Il plaisante :

– Vas-y, demande-lui. Elle fait tout ce qu'on veut.

Et Marie reste là, comme une statue au milieu des garçons qui rient d'elle.

– Pourquoi tu les laisses te faire ça ? je lui demande un jour. Va-t'en ! Installe-toi ailleurs. Retourne dans le baraquement des filles.

Elle me regarde sans comprendre.

– Je ne veux pas rester seule. Je veux qu'on s'occupe de moi.

– Ils ne s'occupent pas de toi, ils t'utilisent !

– C'est toujours mieux que rien, non ? Au moins, je les connais. Je sais qui ils sont.

Et elle continue son chemin, inquiète qu'on ait pu nous voir parler ensemble, parce que je suis devenu une sorte de paria parmi les parias. Je suis contagieux : on ne me parle plus, parce qu'on ne veut pas prendre le risque de déplaire à Paul.

En réalité, je suis soulagé. Le pouvoir de décider qui mangerait ou pas m'effrayait, m'écrasait. Et je refuse de toutes mes forces de penser que nous devons nous organiser parce que nous sommes ici pour longtemps. Je ne veux obéir ni à Franck ni à Paul : je ne veux pas recréer des habitudes, un emploi du temps, une vie. Cela est provisoire. Un mauvais moment à passer.

La radio nous abreuve toujours en informations. Nous nous regroupons autour d'un poste chaque soir, essayant de faire le tri des milliers d'infos qui sont déversées par les journalistes. Dehors, la situation semble se stabiliser. Un gigantesque couvre-feu écrase le pays. Telles que nous les imaginons, les rues sont vides, patrouillées par des cars de police. Des points de distribution de nourriture sont installés un peu partout. Et des hôpitaux de fortune. Mais comment imaginer la vie de nos familles ? Chaque soir, les discussions s'enflamment : Comment vont-ils ? Que leur a-t-on dit ? Savent-ils où nous sommes ? Personne n'ose exprimer à voix haute ce que nous cherchons confusément à comprendre : nos proches sont-ils contraints de rester chez eux ou nous ont-ils abandonnés ?

– Regarde !

C'est la première fois que Lucas m'adresse la parole spontanément. À sa manière bien sûr, la tête baissée, en évitant à tout prix de croiser mon regard, le corps agité de tremblements perpétuels. Nous nous sommes enfoncés dans la forêt, comme nous le faisons de plus en plus régulièrement, trois ou quatre fois par jour. Nos promenades sont souvent silencieuses, mais nous devons y trouver l'un et l'autre une forme de réconfort. Lucas me montre une fourmilière géante, adossée au tronc d'un grand chêne. Je le suis.

– Elles nous ont repérés. Les artilleuses.

Je regarde plus attentivement et je discerne plusieurs dizaines de fourmis, l'abdomen dardé vers nous, prêtes à lancer leur jet d'acide.

– Tu vois ces petits tas ? C'est le cimetière… Les fourmis y entreposent les cadavres et les déchets. Pour éviter les infections.

Lucas semble être en transe. Il plonge ses mains dans la terre, décapite le haut de la fourmilière.

– Toute la vie est en dessous, bien plus profondément… Ça, c'est le solarium, toujours orienté vers le sud. C'est ici que se développent les œufs de la reine. Regarde plus bas : les soldates, qui sortent en cas de danger. Les éleveuses dans les étables à pucerons. Et plus bas encore, le grenier à viande et la crèche pour les larves.

– Comment tu sais tout ça ?

Lucas ne fait pas attention à moi.

– Et tout au fond… la chambre royale. La reine et ses servantes. Je n'en avais jamais vu avant…

– Tu as lu tout ça dans un livre ?

Il émerge doucement de son rêve.

– Dans ma chambre… Quand je ne voulais plus sortir. Au début, mes parents voulaient me forcer…

Ils avaient tout vidé. Pour que je ne veuille pas rester. Sauf un matelas. Il y avait un livre sur les fourmis, tombé derrière des étagères. Avec des dessins.

Ses mots se bousculent :

– J'aurais voulu faire comme elles. M'enfoncer sous terre, marcher dans des souterrains que je connaîtrais par cœur, descendre jusqu'à la chambre royale.

– Ils ont fini par accepter ?

Il me regarde quelques secondes, avant de comprendre.

– Mes parents ? Oui, bien sûr. Ils ont vu que je ne pouvais pas faire autrement… Que ça me tuerait de sortir. Ils sont redevenus mes parents quand ils ont compris que j'étais différent des autres.

Nous restons là un moment, devant la fourmilière à demi éventrée, ne sachant quoi dire. C'est lui qui propose de rentrer.

– C'était un rêve, tu sais. Ce n'est pas le paradis, sous terre. Les fourmis sont impitoyables. Chacune est solidaire de sa caste. On les tue si elles essaient d'en changer.

Et je pense à ce monde en miniature, isolé, là-bas au camp. Aux clans qui se sont formés, à la guerre que nous sommes prêts à nous mener alors que tout brûle, disparaît, s'écroule. Je nous vois, affolés, courant dans des tunnels obscurs, une seule idée en tête : survivre. Cherchant l'ordre qui nous rassurera, même si nous devons y laisser notre liberté, prêts à nous enfoncer chaque jour plus profondément. J'ai du mal à respirer. Je ne veux pas vivre sous terre.

Matthieu a instauré des patrouilles. Une dizaine de garçons et de filles se relaient pour faire en permanence le tour du camp et empêcher toute tentative de fugue. Quand ils ont constaté que la zone était trop étendue pour la surveiller efficacement, ils ont décidé que personne ne sortirait de la zone des baraquements. Désormais, la forêt nous est interdite. C'en est assez, je vais parler à Matthieu. Il a l'air de m'attendre, assis devant une grande table au milieu de ses nouveaux amis. Je remarque tout de suite le portable posé dans un coin.

– Thomas… J'espérais que tu viendrais.

– C'est quoi, cette histoire de périmètre interdit ? De patrouilles ? Vous avez peur de quoi ?

– Je regrette ce qui s'est passé, mais tu aurais dû te méfier de Franck… Tu as oublié tes amis ? Pourquoi est-ce que tu ne viens pas travailler avec nous ?

Travailler ? De quoi parle-t-il ? Qu'est-ce qu'on peut bien faire d'autre qu'attendre, ici ?

– Viens voir…

Il me fait visiter le baraquement où il s'est installé avec sa cour, et je reconnais que tout est propre, accueillant, presque confortable. Il y a même une chaîne qui diffuse de la musique en sourdine.

– Où est-ce que vous avez eu ça ?

– Je te l'ai dit, si on joue le jeu, tout est plus facile.

– Ton père ?

Il hoche la tête.

– Oui, les soldats, devant, lui ont transmis le message. Si c'est raisonnable, il nous fait passer ce qu'on demande.

– Et vous avez un portable ?

– Oui, ça aussi on a pu l'obtenir. Mais j'ai juré à mon père de n'appeler que lui.

– Mais c'est qui, bon sang, ton père ? Il est si haut placé que ça ?

Il m'entraîne par le bras, m'attire dehors. Il veut me parler seul à seul.

– C'était prévu, tu sais. En cas d'épidémie. Toutes les mesures à prendre, organiser la quarantaine.

Son ton pédant m'horripile : un vrai politicien.

– Les députés, le gouvernement, ça fonctionne bien en temps de paix…

– Je ne savais pas qu'on était en guerre, je rétorque sèchement.

– Écoute-moi un peu. En cas de crise, il y a un organisme qui prend le relais… Pour pouvoir agir vite, dans l'intérêt de tous.

– Et ton père bosse là-bas, c'est ça ?

Il sourit, les joues légèrement rosies.

– Il le dirige, en fait. Bien sûr, il ne peut pas se permettre de me faire sortir d'ici, il faut respecter les règles !

– Tu me parles du CSS, là, du Comité je ne sais pas quoi ?

– Du Centre Stratégique de Santé, oui.

Antoine avait raison, il y a bien quelqu'un quelque part qui tire les ficelles, qui a décidé de nous enfermer.

– Tu le sais depuis le début ! C'est pour ça que tu obéissais bien sagement aux instructions ?

– Mon père m'a expliqué, Thomas. Quand nous sommes partis, il a dit que ça ne durerait pas, mais qu'il fallait nous adapter. Qu'il nous ferait sortir le plus vite possible, dès que le danger serait écarté.

Il pose la main sur mon épaule, mais je me dérobe.

– Tu nous trahis, Matthieu ! Dis-moi, tu leur racontes ce qui se passe ici, hein ? Ceux qui résistent et ceux qui sont bien sages ?

Je suis surpris par la colère qui m'envahit.

– Ils nous ont enfermés ! Et toi, tu les aides. Histoire que tout se passe bien, qu'on reste bien tranquilles. Mais ce sont eux, Matthieu ! Ce sont *eux* qui nous ont déclaré la guerre !

J'ai envie de le frapper, mais je me retiens. Cette fureur que je sens en moi m'exalte et m'effraie à la fois.

La situation devient intenable. D'un côté Franck, de l'autre Matthieu et Paul. Ils sont arrivés à un compromis : à chaque livraison, Franck prélève sa part pour sa bande et laisse Paul gérer la suite des opérations. Matthieu fait régner une discipline stricte dans le camp ; ceux qui sont chargés d'interdire l'accès à la forêt portent désormais une sorte de brassard noir au bras gauche. Hier, il s'est adressé à nous et je ne l'ai pas reconnu – mon ami timide, emprunté – quand il est monté sur une caisse pour nous haranguer.

– J'ai décidé que nous n'irions pas dans la forêt parce qu'ils ont été très clairs. Il ne doit pas y avoir d'autres tentatives d'évasion. Sinon, la nourriture n'arrivera plus, et ils viendront remettre de l'ordre eux-mêmes.

« Ils » ? Je doute que les soldats osent s'aventurer dans le camp, même avec leurs combinaisons. Est-ce que Matthieu y croit vraiment ?

– Je suis désolé, continue-t-il, mais ceux qui n'obéiront pas seront consignés dans la cellule.

La cellule… C'est comme ça qu'il appelle la cabane isolée derrière les bâtiments, une ancienne remise à outils. Ceux qui tentent de franchir la limite de la forêt y sont envoyés pour la nuit, et nous pouvons tous imaginer le froid glacial entre les murs de bois. Une fille l'a inaugurée ; elle ne pouvait plus bouger les mains quand elle est ressortie, et il a fallu une bonne heure pour qu'elle cesse de grelotter. Même Franck, replié avec son petit carré de fidèles, semble avoir renoncé à défier Matthieu.

Je suis allongé sur mon lit quand Lucie entre dans la chambrée. Je relis pour la dixième fois un vieux magazine de sport que j'ai trouvé au fond d'une armoire. Mon amie file droit vers Matthieu :

– Il faudrait que tu viennes, je crois qu'on a un problème.

Je les suis vers le baraquement des filles. Marie est allongée sur un lit, et n'importe qui pourrait se rendre compte qu'elle ne va pas bien. Elle est encore plus pâle qu'à l'habitude, son front est baigné de sueur et elle se tient le ventre en gémissant.

– C'est comme ça depuis hier soir, explique Lucie. Elle vomit sans arrêt. Il va lui falloir un médecin.

– C'est non, dit Matthieu. Tu sais bien qu'on est à l'isolement.

– Allez, file-moi le téléphone.

C'est Benjamin. Je ne l'ai pas vu nous rejoindre.

– On ne peut pas la laisser comme ça.

– Pas possible, le téléphone, c'est juste pour…

– Juste pour toi, c'est ça ? Pour que tu commandes tes petites douceurs chez papa ?

Benjamin plaque violemment Matthieu contre le mur et commence à le fouiller.

– Tu perds ton temps, je l'ai planqué.

Je vois cette fille qui se tord de douleur sur le lit, Matthieu qui essaie de reprendre son souffle, Benjamin qui tente de retrouver son calme, les larmes de Lucie, et je réalise que le silence du dortoir n'est troublé que par les gémissements de Marie. Et en un instant, tout ce qui nous a séparés disparaît, le mur que nous avions dressé entre nous s'effondre.

– Matthieu…, je dis doucement. Elle est très malade.

Il tangue encore un peu, rajuste ses lunettes.

– Vous avez raison, je vais appeler. Je reviens.

Nous restons là, autour du lit de Marie, sans savoir que faire. Quand Matthieu revient, j'ai l'impression qu'il va pleurer.

– J'ai insisté, mais il a dit que c'était impossible… qu'il fallait qu'on se débrouille.

La nouvelle nous assomme. Nous avions fini par croire qu'en cas de coup dur, on viendrait à notre secours.

Lucie a pris la main de Marie et nous restons muets, impuissants. Et puis je me reprends. La faiblesse, ces conflits minables, la peur de la soumission… Cette fois, trop c'est trop ! Assez de Franck, assez de Paul, qui vient d'apparaître à la porte, et qui comprend aussitôt en nous voyant réunis que c'en est fini de son alliance avec Matthieu, de son rôle de petit chef mesquin.

– Je peux m'en servir, maintenant ? je demande à Matthieu.

Il me tend le portable, sans même discuter.

– Il faut appeler Antoine, dit Lucie. Il avait promis de nous aider cette nuit-là, au parc.

Elle me dicte le numéro.

– Allô, Antoine ? C'est Thomas.

Nous avons parlé longtemps.

– Tu sais, c'est vraiment difficile, ici…, je dis.

– Au moins, vous êtes à l'abri. Tu ne peux pas imaginer ce qui se passe en ville. Les gens tombent malades par milliers, et puis ils meurent comme ça, en quelques jours.

Sa voix se brise.

– Il n'y a plus de place, nulle part. Ils ont vidé le quartier de la Chamberte pour stocker les cadavres, juste dans la rue, tu vois. Dans la rue !

– Et ma mère ? Tu l'as revue ? Elle va bien ?

Il ne m'écoute pas.

– Au début, j'ai voulu en savoir plus, quel naïf j'étais ! Je voulais sortir une bonne histoire, tu sais le Centre Stratégique de Santé…

Encore…

– Après la manifestation, j'ai mené ma petite enquête, et évidemment les types en cagoule qui vous ont attaqués étaient manipulés. J'ai même retrouvé leur chef, je l'ai filmé, je te montrerai, c'est hallucinant. C'était le gouvernement : il voulait discréditer les ados, convaincre que vous étiez dangereux.

J'essaie d'endiguer le flot de ses paroles – c'est à croire qu'il n'a parlé à personne depuis des jours.

– On est dans un camp, à quelques heures de la ville, une ancienne base militaire. Tu as une idée d'où ça peut être ?

– Je te le répète, Thomas, restez là-bas, c'est mieux, beaucoup mieux… Ici, c'est l'enfer. Il y a deux jours, quelques jeunes sont sortis de la cachette où ils se planquaient… Dans un parking sous les Halles, il paraît. Ils se sont fait repérer, et des adultes les ont pris en chasse. J'étais là, c'était pas croyable... Des types ordinaires, je suis sûr, des profs, des comptables ou je ne sais quoi, et ils les poursuivaient, ils avaient des barres de fer. À la fin, ils ont fini par les coincer...

Je n'ose pas demander ce qu'il leur est arrivé. Je lui repose la question :

– Ma famille, ils vont bien ?

– On n'est pas dans le même quartier, comment veux-tu que je le sache ? Franchir deux rues, ça relève de l'exploit maintenant, et presque toutes les lignes téléphoniques sont hors service. Écoute, il faut que je te laisse... Reste là-bas, Thomas. Restez là-bas. Tous. Vous êtes en sécurité.

Complètement désemparé, je raccroche et résume la conversation à mes amis.

– Il va falloir se débrouiller tout seuls, conclut Benjamin.

– Et s'il avait raison ? demande Matthieu. Si on était en sécurité, ici ?

– On était censés protéger les autres en étant parqués ici... Visiblement ça n'a pas marché, dit Lucie. Peut-être que, finalement, nous ne sommes pas les seuls vecteurs du virus.

– Antoine n'a même pas pu me dire si ma famille allait bien.

– Ou bien il n'a pas osé.

– Qu'est-ce qu'on fait, alors ?

Je repense aux fourmis de Lucas. La guerrière qui marque un ennemi, laisse une trace sur le sol pour conduire ses alliées jusqu'à leur adversaire. Comment d'autres, kamikazes, contractent leurs muscles abdominaux pour se faire exploser en plein combat, inondant leurs adversaires de venin. Fourmis de feu, *Camponotus*, *Pheidoles*, il connaît tous les noms.

Je ne veux pas vivre sous terre.

– Il n'y a plus à hésiter, maintenant qu'on sait qu'être dans cette prison ne protège personne. On va sortir d'ici, retourner en ville pour retrouver nos familles. Tous ensemble. Moi, je vais voir Franck. Vous, occupez-vous de Paul.

J'entre dans le dortoir. Il y a des jours que j'ai été exclu, et personne ne m'adresse plus la parole. J'ignore les rires ironiques qui m'accompagnent quand je me dirige vers le lit où un petit groupe – le premier cercle – joue aux cartes.

Un garçon se lève, prêt à faire barrage, à protéger Franck. Les gardiennes et la reine…

– Qu'est-ce que tu veux ?

J'essaie de le contourner.

– Il faut qu'on parle, Franck…

– Laisse-le !

Le garçon s'écarte, à regret.

– On s'enfonce, Franck. On se divise au lieu de chercher ensemble une solution. Paul, toi, vos petites cours, vous régnez sur des ruines. Ça te plaît, de terroriser des gamins ?

Les ricanements se sont tus. Tous nous regardent, attendant que se déchaîne la colère du chef. Que le provocateur insolent soit châtié.

– Continue…

J'ai droit à un sursis ; j'en profite.

– Il faut qu'on sorte d'ici. Les types qui nous gardent sont largués. Tout ce qui les intéresse, c'est de trouver à bouffer.

– Allez, ça suffit, casse-toi !

Le visage du garde du corps de Franck est à quelques centimètres du mien. Dans quelques secondes il va projeter son venin sur moi. Franck se relève, l'agrippe par le bras puis l'envoie valser contre une table. Puis il revient à moi. Comme si le garçon avait cessé d'exister.

– Et c'est quoi, ton plan ?

J'hésite. Est-ce que je peux compter sur lui ? Mais je n'ai pas le choix. Pas d'autre solution. Alors je lui explique : on va forcer les soldats à entrer dans le camp.

6. Dehors

Les soldats sont postés derrière la grande grille, comme d'habitude.

– Tu veux les forcer à choisir, c'est ça ?

Je hoche la tête. Benjamin lève les yeux au ciel.

– C'est une idée de dingue !

– Oui, sans doute. Je suppose.

Franck désigne les baraquements.

– Donc, on fait rentrer tout le monde là-dedans ?

Paul acquiesce.

– S'ils voient qu'on est d'accord, toi et moi…

– Moi, je n'y croirais pas, rétorque Franck avec un grand sourire.

Paul et lui hurlent leurs ordres :

– On rentre tous ! Tout le monde ! Dans le baraquement A.

Lucie, Matthieu et Benjamin sont les premiers à franchir la porte. Soudain, j'ai peur pour eux : et si ça ne marchait pas ?

Nous voici bientôt dans le dortoir, entassés.

– Vas-y, me dit Franck. Explique-leur.

Ce n'est pas une bonne idée. Si je raconte ce que j'ai en tête, il va falloir discuter. Certains vont avoir peur. Refuser. Mais mon plan ne fonctionnera que si nous restons ensemble. Je me penche vers lui.

– Tu as les clés ? Il faut fermer les portes du dortoir. Discrètement.

Franck me regarde, surpris. Je lui ai donné un ordre. Je sens qu'il veut me remettre à ma place, mais il baisse les yeux le premier.

– Je m'en charge. Occupe-les !

Je monte sur un lit. J'invente des phrases, juste pour gagner quelques minutes.

– Il faut qu'on discute ! Qu'on s'organise. On ne peut plus continuer à s'entre-tuer pour un bout de pain et une boîte de sardines. Alors, j'attends vos idées… Comment faire pour qu'on arrête de s'affronter pour rien ?

Dix personnes prennent la parole en même temps. Des cris, des mots en désordre. Je les regarde, ils s'énervent, le ton monte. Petits agneaux qui ne savent pas ce qui les attend.

Lucie est tout au fond du baraquement. Elle me regarde fixement. Il me semble qu'elle sourit. C'est tellement rare, chez elle.

Franck a fermé les deux portes du dortoir. Nous savons tous deux qu'il n'y a aucune issue : les fenêtres sont grillagées. Plus personne ne fait attention à moi.

J'en profite pour arracher les draps des lits, et commencer à les empiler au centre du dortoir. Paul et Benjamin m'aident. Matthieu, lui, se tient à l'écart. Peu à peu, les lycéens remarquent notre manège. Les conversations s'interrompent l'une après l'autre.

– Tu pourrais nous écouter ! lance une fille. C'est toi qui nous as demandé de proposer des trucs !

La pile de draps atteint ma taille. Franck sort le bidon de pétrole caché sous son lit et asperge le tas de tissu.

– Qu'est-ce qu'il fout ?

– C'est quoi ça ?

Je ne leur laisse pas le temps de réagir. Je craque une allumette et les draps s'embrasent immédiatement. Tout le monde recule et des cris fusent. Le feu projette des ondes de chaleur. L'air est épais, comme des rideaux qui frôlent nos visages. Une fumée noire, âcre, se fraie un chemin dans nos gorges. Certains se ruent vers les portes. Essaient de les enfoncer. Avec leurs pieds. Avec leurs épaules. Griffent le bois avec leurs ongles. J'ai perdu Lucie de vue.

– À terre ! Tout le monde à terre ! hurle Franck.

Nous lui obéissons, à la recherche d'air frais – déjà nous ne voyons plus le plafond, obscurci par les nuages noirs, mortels.

Les vitres d'une fenêtre explosent, mais les grillages nous retiennent prisonniers. Nous aspirons avec avidité l'air frais, avant de comprendre qu'il attise le feu. Un garçon rampe jusqu'à nous. Je regarde ses yeux rougis, son visage noirci. C'est Matthieu. Une fille hurle.

– Qu'est-ce que vous avez fait ?

Un bout du plafond en flammes s'écrase lourdement au sol, brûlant des bras, des jambes.

Franck ne cesse de répéter les mêmes mots :

– Ça ne marche pas, ça ne marche pas.

L'enfer. L'enfer. Je me suis trompé : ils ne viennent pas.

Un bruit fracassant. Le baraquement qui s'effondre ? Non : les portes qui s'ouvrent ! Un soldat entre. Il crie.

– Sortez, sortez tous !

Nous nous précipitons, pliés en deux, toussant, crachant. Mais ce n'est pas fini. Ce n'est que le début. Je lance :

– À la grille, vite !

La grille, grande ouverte. Les soldats comprennent trop tard. Nous sommes bien plus nombreux qu'eux. Nous sommes un flot, un courant qui les déborde. Que peuvent-ils faire ? Rien, à part tirer. Et ils ne le feront pas. Ils viennent de nous sauver.

C'était ça mon plan, mon pari : ils nous gardent prisonniers, mais nous sommes des enfants. Leurs enfants. Nous les avons forcés à choisir.

Nous franchissons la grille en courant. La forêt est là, de l'autre côté de la route. Franck crie :

– Continuez, enfoncez-vous dans les bois !

Nous sautons le fossé, slalomons entre les arbres. Je jette un coup d'œil en arrière. Deux garçons se font ceinturer, immobiliser à terre. Mais les autres soldats, impuissants, nous regardent nous échapper Nous sommes libres.

Regardez-nous ! Des moineaux effrayés, des écureuils qui détalent dans la campagne. Les pieds qui se prennent dans les racines, les branches basses qui cinglent les visages. Nous nous éparpillons sur plusieurs hectares, nous nous fondons parmi les arbres.

Je cours sans regarder derrière moi. Quand je suis sûr que personne ne me poursuit, je me laisse tomber sur un matelas de mousse verte, humide. Je n'entends que le bruit de ma respiration, le tambour dans ma poitrine et dans mes tempes.

Il va bientôt faire nuit. C'est ma première pensée depuis que j'ai franchi la grille du camp. Elle est de courte durée, la joie de l'évasion. Comme dans un tour de grand-huit : la peur quand la nacelle s'élève, l'excitation quand elle bascule dans le vide, et c'est déjà fini.

Où sont Lucie ? Matthieu ? Et Lucas ! Je l'ai oublié. Je l'imagine, angoissé, au milieu du dortoir, quand les flammes léchaient le plafond, et mon ventre se serre, comme si je venais de plonger dans un torrent glacé. J'essaie de me souvenir : était-il vraiment avec nous, là-bas ?

J'entends des voix, en contrebas. Les soldats se sont-ils remis de leur surprise ? Je crois entendre des chiens, mais peut-être est-ce simplement l'affolement qui m'envahit.

Franck apparaît soudain hors d'un fourré. Ses cheveux sont constellés d'aiguilles de pin, son visage est maculé de boue comme s'il avait essayé de s'enfoncer sous terre.

– Ça a marché !

– Oui, mais on fait quoi, maintenant ? Il faut regrouper tout le monde…

– Tu rêves ? Avec ces types juste derrière nous. On va se faire reprendre !

– Alors quoi ? Qu'est-ce qu'il faut faire ?

– Ne me demande pas à moi !

Franck maîtrisait le petit univers limité du camp. Maintenant que tout est plus grand, ouvert, sans limites, il est perdu.

Le faisceau d'une lampe torche illumine le tronc de l'arbre, quelques mètres au-dessus de nos têtes.

– On dégage !

– Attends ! Attends un peu !

Mais Franck détale en slalomant entre les arbres. Quelques secondes encore, et il a disparu. Les voix se rapprochent, je comprends que les soldats reprennent les fugitifs, un à un. Je me décide : je me lève à mon tour, et je commence à courir. Mais c'est un cercle que dessine ma fuite : mes jambes me ramènent vers le camp. Je veux croire que Lucas y est encore. J'évite les arbres, je glisse sur les feuilles humides, je chasse les images de Lucas caché sous un lit, cerné par le feu, les yeux fermés, les mains sur les oreilles…

La grille. La cour. Le baraquement n'est plus qu'un tas de bois calciné crachant une fumée noire qui se confond avec le ciel. Çà et là, des tisons rougeoient encore ; on dirait qu'une armée de lucioles guide mes pas. Je m'approche, et je sais qu'il ne peut rien rester de vivant sous ces décombres. Je n'ai plus beaucoup de temps si je veux ressortir du camp ; pourtant, je pars en courant vers la forêt, saisi par un espoir insensé.

Je ne me suis jamais aventuré dans les bois après le coucher du soleil : tout a changé, mes repères sont brouillés. À croire que la forêt se met en mouvement pendant que nous dormons. Je suis perdu, prêt à renoncer. Puis j'aperçois enfin la clairière, et juste au même moment, j'entends une plainte lugubre, comme celle d'un chien blessé ou d'un vieillard apeuré dans un hôpital désert. Lucas est allongé au pied de la fourmilière. Il gémit ; je sais qu'il appelle sa mère, mais ses mots ne franchissent pas la grille de ses dents serrées.

Je n'ai pas le temps de lui parler, de le rassurer. Je l'empoigne par le bras, je le force à se relever mais il replie son bras pour se cacher le visage. J'agrippe sa main et le tire derrière moi. Nous repartons vers le camp ; plusieurs fois, il trébuche et je dois l'aider à se relever, sans tenir compte de ses larmes qui coulent à jet continu.

Les soldats ne sont pas encore revenus : nous franchissons la grille et nous avançons droit devant nous, sur la route étroite et bordée d'arbres.

Des phares viennent vers nous. Je pousse Lucas sans ménagement dans le fossé et m'y jette à mon tour. C'est bien ce que je craignais : des camions militaires qui amènent des renforts au camp. Le danger s'est éloigné, nous nous relevons, malgré les supplications de Lucas :

– Laisse-moi, laisse-moi !

Je sais qu'il veut se rouler en boule et rester là, terré comme un animal, mais il ne résistera pas à la nuit glacée et je le force à me suivre. Soudain, je me sens épuisé. Il fait si froid que je tremble sans cesse ; le claquement de mes dents m'empêche de réfléchir. À droite, après un virage, il y a une trouée entre les arbres et, plus bas, la masse sombre d'un bâtiment. Pas le choix. Nous franchissons le fossé et nous dévalons la pente, moitié courant et moitié roulant.

C'est une grange où l'on stocke la paille. La grande porte de bois est ouverte. Nous nous installons sur le foin épars. Je pense que Lucas s'enfuira, si je m'endors. Mais j'ai beau résister de toutes mes forces, je suis englouti par le sommeil comme un cheval pris dans les sables mouvants.

Les pelouses du parc. Nous sommes allongés sur l'herbe. Le soleil brûle nos visages. Matthieu court vers moi, et se jette sur la pelouse, essoufflé. Il sort un cahier.

– Il faut que je te montre un truc.

Et voilà Benjamin qui me sourit.

– Je suis super content de te voir.

Dans ma poche, mon portable vibre. Tellement de textos, je n'arriverai jamais à les lire tous. Lucie s'agenouille près de moi. Je reconnais son parfum, je caresse sa joue et elle m'embrasse.

– Tu vas bien ?

Quelqu'un dit quelques mots que je ne comprends pas et nous rions tous. C'est tellement bon d'être dans ce parc avec mes amis. Mais le soleil se cache, un nuage noir envahit le ciel, et soudain je sens la morsure du gel et mes doigts sont douloureux. Je me retourne, mes amis sont partis. J'appelle, mais personne ne me répond. Je suis seul.

À mon réveil, j'ai si froid que je ne sens plus mes pieds. Il fait jour, la lumière filtre à travers les planches disjointes de la porte de la grange.

Au-dessus de moi, des ombres volettent : des oiseaux de nuit qui rentrent au gîte, furieux de devoir partager leur abri. Ils ne se poseront que quand nous aurons déguerpi.

Nous ? Lucas n'est plus allongé à côté de moi… Je repousse la lourde porte et, à la lumière du jour, découvre des collines, des prés, des forêts à perte de vue. S'il s'est réveillé pendant la nuit, s'il a marché droit devant lui, jamais je ne le retrouverai… Je retourne dans la grange. Non. Lucas ne se serait jamais aventuré seul dans ce paysage sans limites. Il ne peut être que là, derrière cet amas de bottes de paille qui peut-être l'a protégé des démons de la nuit.

Effectivement, Lucas dort, en chien de fusil, les mains entre les cuisses, le pull remonté sur son visage, agité de petits sursauts. Je n'ose imaginer les créatures qui viennent visiter ses rêves. Je lui laisse encore un peu de répit. C'est moi qui l'ai entraîné ici, sans réfléchir. N'était-il pas en sécurité, malgré tout, au camp ? C'était une prison, mais une prison familière.

Pendant ce temps, j'explore la grange. Dans un coin du bâtiment, une caisse révèle une divine surprise : des pommes ! J'en prends une et mords à pleines dents. Je n'ai jamais rien goûté d'aussi bon que ce jus sucré qui descend dans ma gorge.

Soudain, Lucas est à côté de moi. Il attrape un fruit et nous restons là, de longues minutes sans parler, à nous rassasier. Je me demande ce que je dois faire de lui ; mais il parle le premier :

– Je ne veux pas retourner là-bas.

Il secoue la tête.

– La fourmilière est détruite. Il faut trouver un autre endroit.

– Tu veux aller où ?

Son visage est tordu par une grimace involontaire.

– Je veux rester avec toi.

Je ne sais même pas si ma ville existe encore, mais je n'ai nulle part ailleurs où aller.

– D'accord, Lucas. On rentre chez moi.

J'accueille comme une promesse les rayons du soleil qui percent enfin les nuages. Mes idées s'éclaircissent quand je marche ; je sors souvent errer dans les rues quand je dois prendre une décision importante. À quelques mètres devant moi, Lucas avance de son pas mécanique, le visage étrangement levé vers le ciel. Tous les vingt mètres, il se retourne pour vérifier que je le suis toujours. Nous sommes seuls, et bien plus que cela : j'ai l'étrange impression que personne n'est venu ici depuis très longtemps.

Après quelques heures de marche, j'ai à nouveau faim : j'appelle Lucas et lui fais signe. Nous nous asseyons sur la route, et je sors de mes poches deux pommes que j'ai pris soin d'emporter.

– Tu veux me raconter ? Quand le feu a pris ?

Il regarde longuement sa pomme.

– Tu es venu me chercher.

– Oui, mais ça, c'était après… Tu n'étais pas dans le dortoir, c'est ça ?

Il hoche la tête, exagérément.

– Je vous surveillais. Derrière la baraque de la nourriture. Je vous ai vus entrer. Tous. Pas moi. Et la fumée a commencé à sortir sous les portes. La fumée voulait s'enfuir. Je me suis approché, et je l'ai vu par la fenêtre.

– Franck ? Benjamin ?

– Le feu, j'ai vu le feu. Comme cette fois, au collège.

– Il y a eu un incendie dans ton collège ?

– Je suis dans la classe, ils sont tous sortis, mais moi je ne veux pas. Ils veulent me faire du mal. Ils vont me poursuivre si je descends dans la cour. Je sais qu'il y a des allumettes dans un tiroir. Ils ne pourront pas rentrer dans la classe. Le plafond fond comme de la glace, les vitres explosent l'une après l'autre. Il y a des cris dans le couloir, mais j'ai bloqué la porte.

Il s'arrête brusquement.

– Comment tu es sorti ?

Il n'a pas l'air de comprendre.

– Je ne suis pas sorti. Je suis mort. Un peu plus tard, j'étais couché dans une chambre blanche et j'étais tout seul. J'étais si heureux que j'ai pleuré.

Bon sang, il délire !

– Tu as repensé à ça quand tu as vu le feu dans le dortoir ?

– Le feu allait vous faire partir du camp. Et moi, je restais seul avec les soldats. J'ai tapé pour que vous ouvriez la porte, mais personne ne m'a ouvert. J'ai vu des enfants tomber, je savais qu'ils partaient l'un après l'autre et que bientôt il n'y aurait plus personne, juste Lucas et les soldats, et les bêtes dans les bois.

– Mais tu es parti dans la forêt…

– Les soldats entrent dans le camp en courant. Ils ne me laisseront pas partir avec vous. Ils courent, leurs grosses chaussures frappent le sol, leurs ombres s'étirent pour m'attraper. Alors je préfère encore les bois ; je cherche les fourmis.

Je ne dois pas laisser le délire l'emporter. Je pose la main sur son bras. Il se crispe mais il ne bouge pas.

– Je ne suis pas parti, Lucas. Nous sommes tous sortis du dortoir.

Il me regarde.

– Ce n'est pas grave, Thomas. Maintenant on part ensemble.

– Oui, Lucas, c'est ça...

Nous marchons encore deux heures et pénétrons dans un village. À l'entrée, un panneau indique : Parguezy. Les rues sont désertes. Nous remontons la rue principale ; parfois les portes des maisons sont ouvertes, comme si leurs habitants avaient dû partir précipitamment. Nous voici à l'église. Il me semble entendre des voix et je pousse la grande porte couronnée d'une fresque où les anges déploient des ailes immenses. À l'intérieur, l'obscurité est presque totale ; seuls quelques rayons de lumière traversent les vitraux. Je devine des lits de camp et des silhouettes allongées. Des victimes du virus Zéro, j'en suis certain, trop faibles pour nous prêter attention. Mais pourquoi sont-elles ici ? Qui s'occupe d'elles ?

Quand nous ressortons, la clarté du soleil nous éblouit. Où aller ? J'ai peur que les villageois terrés dans leurs maisons n'alertent les soldats. J'ai repéré une maison à l'écart, en contrebas du village. Nous redescendons la rue principale, jusqu'à la limite du village, et nous y entrons. La porte n'est pas verrouillée et la maison semble vide. Des assiettes sales sont abandonnées sur la grande table en bois. Dans un coin goutte un robinet. Le plafond craque au rythme des bourrasques du vent. J'ouvre le vieux réfrigérateur constellé d'autocollants : «Visitez le Maroc», «Joyeuse année 1995 !» et trouve quelques yaourts et une terrine.

Lucas exhibe des pommes de terre dénichées dans un panier près de la grande cheminée.

– On fait du feu ?

Oui, faisons du feu. Reposons-nous. Oublions où nous sommes.

Nous avons dormi quelques heures sur les lits défaits du premier étage. Les braises ont maintenu un semblant de chaleur dans la grande pièce. Les yaourts nous semblent délicieux.

– Pourquoi ils nous ont chassés ? demande Lucas.

Je n'ai pas besoin de lui demander de quoi il parle.

– Le virus… on dirait qu'il s'est répandu. Et que nous sommes responsables.

Il ne m'écoute pas vraiment.

– Quand est-ce qu'on rentre ?

Je fouille les étagères de la vieille bibliothèque.

– Quand est-ce qu'on rentre ?

– Arrête, Lucas, arrête !

J'ouvre les tiroirs de la table, je fouille la pile de magazines sur le guéridon de l'entrée.

– Quand est-ce qu'on rentre ?

J'attrape un livre et le lui lance au visage. Il se recroqueville, telle une tortue qui se réfugie dans sa carapace. Je prends conscience, soudain, qu'il est allé jusqu'au bout de ses forces – lui dont l'horizon se bornait aux quatre murs de sa chambre. Je l'oblige à se relever et je le serre dans mes bras.

– Excuse-moi, Lucas. J'essaie de savoir où nous sommes.

Je trouve une carte et la déplie sur la grande table. Après quelques secondes, je tombe dessus : Parguezy. C'est le nom du village où nous sommes. Je prends des mesures avec les doigts : nous sommes seulement à moins de cinquante kilomètres à vol d'oiseau de la ville ! Dire que notre voyage en car avait duré plusieurs heures… Le chauffeur a dû multiplier les détours pour nous perdre. Sommes-nous, malgré tout, capables d'y arriver ? Est-ce que Lucas tiendra le coup ?

Des bruits de moteur, là-haut, sur la place du village.

– Attends-moi. Ne bouge pas !

Je sors devant la maison, et, dissimulé derrière un muret, j'aperçois des hommes en uniforme, des Jeep, des camions. Je suis certain qu'ils sont ici pour nous. Ils ont attendu le matin, et maintenant ils nous cherchent. Je rentre précipitamment, je fourre dans un sac à pain les derniers yaourts et les pommes de terre que nous avons fait cuire.

– On va sortir par-derrière.

Lucas ne bouge pas. Il gémit, assis dans l'angle de la cheminée, la tête entre les genoux.

– Ils entrent, je les tue…

– Lucas, viens !

Je le tire par le bras ; il semble se réveiller.

– On y va ! Maintenant.

La porte de derrière mène à un petit jardin fermé par une haie. Nous nous faufilons entre les branchages, débouchons sur un pré qui descend en pente douce vers une rivière. Je jette un coup d'œil en arrière. Personne ne nous suit. Je regarde la carte, repère une autre route, droit devant. C'est par là.

Nous marchons en silence toute la matinée. Je ne quitte pas Lucas des yeux, et je repense à ce qu'il m'a raconté. Est-ce qu'il délirait vraiment ? Je voudrais croire que c'est impossible, mais je n'en suis pas certain.

– Lucas ?

Il hoche la tête sans se retourner.

– C'est vrai, l'histoire du collège ? Tu as vraiment mis le feu ?

Cette fois, il s'arrête.

– Je ne sais pas, Thomas.

– Tu as imaginé tout ça, hein ?

– Je ne sais pas. C'est comme un rêve.

Je veux savoir avec qui je voyage. Qui j'ai décidé de protéger.

– Tu es bien sûr que c'est un rêve ?

Il me regarde sans comprendre, fait un geste autour de lui : les champs, les arbres, le ciel.

– C'est un rêve. J'ai bien trop peur quand je me réveille.

Nous avons mangé, et repris la route. Je sais qu'il nous faudra deux jours pour atteindre la ville : nous devons trouver un endroit pour dormir. En fin de journée, nous croisons un convoi miliaire, et nous avons juste le temps de nous jeter dans le fossé. Plus loin, nous longeons un grand pré. Au milieu, un amas noir. Lucas dit :

– Encore un rêve.

Ce sont des chevaux étendus sur la terre. Ils ne bougent pas. Ils ne courront plus jamais. Des oiseaux de proie sont perchés dans les arbres, attendant leur heure. Est-ce que ce sont de nouvelles victimes du virus Zéro ? Je me demande pourquoi les chevaux se sont serrés les uns contre les autres pour mourir. Est-ce qu'ils ont compris ce qui leur arrivait ? Est-ce qu'ils ont eu peur, à la dernière seconde ?

Si c'est l'œuvre du virus, alors celui-ci a pris des proportions immenses pendant que nous étions prisonniers du camp. À l'évidence, notre isolement n'a pas endigué la contagion. Adultes, et maintenant animaux ? La catastrophe s'est répandue à une vitesse… c'est une chose d'entendre les nouvelles à la radio, mais c'en est une autre de voir les dégâts de ses propres yeux.

Je me mets à courir pour rattraper Lucas.

– Je suis pressé, crie-t-il quand il m'entend derrière lui.

J'éclate de rire. Un fou rire qui me tord le ventre, me coupe la respiration, fait couler des larmes de mes yeux. Je tombe à genoux. Lucas s'arrête enfin, revient vers moi. Pense-t-il que je suis un rêve, moi aussi ?

Il me tend la main :

– On est bien, ici, tout seuls. On continue la balade ?

Oui, on continue.

Une ferme. Je suis certain qu'elle est abandonnée, elle aussi, avant même que nous remontions le chemin de terre qui mène dans sa cour boueuse. J'ai peur de découvrir des animaux morts dans les étables et le grand poulailler, mais ils sont vides. Il reste des légumes dans la cuisine : nous allons pouvoir manger.

Pendant que l'eau bout, je fais une découverte inestimable : un poste de radio. Lucas a allumé du feu – je ne l'ai pas quitté des yeux une seconde. Nous dégustons une sorte de soupe chaude et transparente en écoutant la voix qui sort de l'appareil. Les émissions habituelles sont toutes remplacées par des bulletins d'information.

– ... *Et voici le communiqué quotidien du ministère de la Santé. Pour des raisons de sécurité, l'entrée et la sortie de Lyon sont interdites à l'exception des véhicules de secours. À l'attention des habitants de Montpellier, un point d'accueil des malades est ouvert au Corum...*

La litanie est sans fin.

– … *Les distributions de nourriture pour Paris sont prévues à huit heures, à midi et à dix-neuf heures dans votre mairie d'arrondissement. Le couvre-feu est renforcé à Annecy ; la circulation est autorisée aux seules personnes munies d'un laissez-passer. Prolongation de la fermeture des frontières avec l'Espagne, l'Italie et la Belgique pour la prochaine semaine.*

Je tourne les boutons du transistor, mais il n'y a qu'un seul programme disponible. Sur toutes les stations. J'éteins la radio. Ce qu'elle nous a appris : villes fermées, gardées par des soldats. Déplacements limités. Hôpitaux débordés, malades accueillis dans des abris de fortune. Plus de poste, des magasins vides. Lucas dit :

– Mes parents vont arranger ça. Comme les autres fois. Il faut juste qu'on les trouve.

Je l'aime bien, mais je commence à être fatigué de l'entendre divaguer sans arrêt.

Nous dormons quelques heures. Lucas parle dans son sommeil : des phrases hachées, incompréhensibles. Des bruits dans le grenier me maintiennent longtemps éveillé – j'espère que c'est bien un animal qui a trouvé refuge là-haut. Il fait froid ; je me relève à la recherche de couvertures. Je découvre une chambre d'enfant, des peluches. Je m'allonge sur le lit et m'endors enfin.

À mon réveil, je fouille la ferme à la recherche d'objets utiles et tombe sur un téléphone dissimulé par une pile de journaux. J'essaie d'appeler chez mes parents. Aucune réponse. Je demande son numéro à Lucas, mais je n'arrive à rien de mieux.

Je respire un bon coup et décide de ne pas céder à la panique. Antoine me l'avait dit : la plupart des lignes téléphoniques sont hors service. Il n'y a qu'une seule façon de savoir si nos familles vont bien.

– Allez, en route !

Je suis plein d'énergie, ce matin. Cette nuit m'a fait du bien, et, surtout, j'ai le sentiment que je serai bientôt chez moi. Lucas aussi semble de bonne humeur, pour autant que je puisse en juger – il chantonne, esquisse des pas de danse en marchant. Après quelques heures de marche, nous approchons enfin de la ville. Nous pénétrons dans les quartiers résidentiels ; tout est désert, anormalement calme. Sur l'avenue Jean-Jaurès qui mène au centre-ville, je stoppe Lucas : là-bas, à deux cents mètres, un barrage de police.

– On ne peut pas passer !

– Si, bien sûr que si… Je vais leur expliquer.

Lucas se met à courir. J'essaie de le rattraper mais déjà il est au milieu de la rue, bien en vue. Aussitôt des voix nous interpellent, amplifiées par un mégaphone.

– Arrêtez-vous ! Arrêtez-vous !

Une Jeep roule dans notre direction. Tant pis pour Lucas. Je m'engouffre dans une ruelle et me mets à courir, changeant de direction à chaque intersection.

Derrière moi, j'entends le crissement des pneus, les cris des militaires. Je me retourne, personne ; ils doivent être en train de s'occuper de Lucas. Peut-être ne m'ont-ils pas vu, après tout.

Le centre-ville a l'air fermé. Je tourne en rond quelques minutes, désarçonné. Et maintenant ? Il faut que je réussisse à entrer en ville. J'attendrai la nuit et j'essaierai le vieux pont désaffecté. Ou je longerai les rails jusqu'à la gare. Ils ne peuvent pas être partout à la fois.

En attendant, je traverse des quartiers fantômes, devinant parfois une ombre derrière un volet entrouvert : les habitants se terrent chez eux en attendant qu'on les autorise à ressortir. En entendant la radio, la nuit précédente, je m'étais imaginé des scènes terribles, des blessés, des mourants, des cris. Certainement pas ce calme.

Je me dirige vers le parc : notre point de ralliement, l'une des dernières sorties d'avant l'épidémie. Rien n'a changé, mais les promeneurs ont disparu. Aucun enfant ne joue au foot, le bac à sable est vidé de ses bébés. Je m'assieds sur les marches du kiosque et la journée est presque belle, j'ai envie de m'assoupir au soleil, comme avant, mais je ne veux pas être surpris par une patrouille. Où en est Lucas, maintenant ? Ont-ils compris qu'il ne peut être traité comme les autres ? Qu'il est peut-être dangereux ? Il faudra bien qu'ils le ramènent à ses parents.

7. Clandestins

Je frissonne. La nuit est là, maintenant, escortée par son armée de nuages noirs. J'hésite : ce qui me paraissait simple quelques heures plus tôt, en plein jour, me semble maintenant bien risqué. Les plans que j'ai échafaudés sont tellement enfantins ; on les dirait tout droit tirés d'une mauvaise série policière. Je suis épuisé, je somnole par instant, aussitôt réveillé par le froid. À l'entrée du parc, des ombres. Ça y est, ils sont là… Cette fois, je ne résisterai pas. Peut-être qu'ils me ramèneront chez moi ?

– Eh bien… Tu as mis le temps !

Je reconnais sa voix avant même d'avoir vu son visage.

– Benjamin ?

– Tu dois être épuisé… Viens, on va te mettre à l'abri.

Il n'a pas l'air non plus en grande forme. Les joues mangées par une barbe naissante, les cernes violets, le manteau déchiré. Il décrypte mon regard.

– Oui… Ça n’a pas été facile, après le camp. Une fois, ça a été limite et je me suis pris dans des barbelés une nuit en traversant un pré.

Il me montre ses mains striées de rouge.

– Mais ça y est, on est réunis.

– Tu es avec les autres ? Vous avez tous réussi à vous échapper ?

Il douche mon soulagement d’une eau glacée :

– Matthieu et Franck sont là, mais pas Lucie. On a été séparés. On espérait qu’elle se pointerait ici, mais toujours rien… Allez, viens. Il y a des Jeep qui patrouillent par ici, la nuit.

À la sortie du parc, nous sommes plongés dans l’obscurité, et c’est une sensation étrange ; comme si les maisons qui bordaient la rue avaient disparu.

– Plus de lumière… Presque nulle part. Personne pour faire tourner les centrales, tu comprends.

– C’est comment, au centre-ville ?

– On ne sait pas trop… Toutes les entrées sont surveillées, et on avait besoin de se reposer.

– Vous n’avez pas réussi à entrer ?

J’accuse le coup. Je m’imaginais qu’il suffirait de passer les barrages, d’esquiver les flics et qu’ensuite je marcherais tranquillement jusque chez moi. Aussi simplement que ça.

Nous sommes arrivés. Une masse sombre nous surplombe comme un géant malveillant.

– Le château d’eau ? je demande, incrédule.

– C’est toujours un château, non ?

Nous contournons la bâtisse. Benjamin pousse la porte et je découvre une pièce unique, circulaire, aux parois en béton. Le froid humide me saisit aussitôt.

– Où sont les autres ?

– Ce que tu vois, c'est l'entrée... Ça se passe au-dessus.

Il me montre l'escalier en colimaçon qui s'élève vers la voûte.

– Allez, respire à fond.

Il m'indique le chemin. Nous gravissons lentement les marches et atteignons bientôt le plafond de la grande salle, mais l'escalier continue dans un conduit étroit.

– Autour de nous, c'est le réservoir, explique Benjamin. Des millions et des millions de litres d'eau.

Il est essoufflé, il tousse et j'ai soudain l'impression qu'il ne m'a pas dit toute la vérité.

– On y est presque.

Le sommet de l'escalier est fermé par un panneau de métal. Benjamin frappe, la plaque se relève, et je distingue le visage de Franck qui nous éclaire d'une lampe torche.

Il nous aide à nous hisser l'un après l'autre. Ce devrait être des retrouvailles heureuses, mais je ne vois que des corps affaissés dans la pénombre de la pièce aveugle. Ça sent le renfermé, la maladie.

– Vous êtes combien, là-dedans ?

– Plus que cinq. Six maintenant, avec toi. Ils craquent les uns après les autres, ils se livrent aux flics.

– Et après… ?

– Je ne sais pas, répond Franck.

– On les renvoie dans un camp ?

Il ne répond pas. Benjamin, à peine visible à la limite du halo de la torche, finit par détourner les yeux.

– Si on dormait un peu ? propose Franck. On n'a bientôt plus de piles… On t'expliquera tout demain.

Ils me trouvent une couverture humide ; l'odeur de moisi m'incommode. Je m'allonge sur le béton glacé et je mets longtemps, très longtemps à m'endormir.

Matin. Lumière. Chaleur. J'ouvre les yeux et découvre une échelle qui mène sur une terrasse, au sommet du château d'eau, où je rejoins Franck. C'est magnifique ! Nous surplombons la ville, la campagne, le fleuve, et nous avons une vue imprenable sur les montagnes. Le vent frais me fait pleurer ; j'ai l'impression que mes poumons sont saturés d'oxygène.

– Ils dorment encore, en bas ?

– Je crois… C'est qui, les deux autres ?

Matthieu nous rejoint. Sa main gauche est bandée et j'ai l'impression qu'il a perdu dix kilos.

– On les a ramassés sur la route, à trente kilomètres d'ici, explique-t-il. À bout. Ils ne disent rien. Ils ne parlent pas. On pense que ce sont des frères. Je ne sais pas ce qu'ils ont vu.

Benjamin nous rejoint à son tour.

– Tiens, petit déjeuner royal !

Il me tend un paquet de biscuits. Je me rends compte que je suis affamé, mais je n'en prends qu'un seul.

– Dites-moi… Qu'est-ce qui vous est arrivé, après le camp ?

Ils me racontent…

Franck court droit devant lui, les soldats sont à quelques mètres. Il trébuche, se relève, sa cheville lui fait mal. Il entend des cris, des ordres, des aboiements. Il cherche le couvert des bois, s'enfonce plus profondément. Il s'éloigne du rougeoiement – le baraquement qui achève de se consumer – et débouche sur un étang, une masse noire, menaçante, qu'il doit contourner. Il avance difficilement, ses pieds comme aspirés par la boue glacée. Il aperçoit une cabane, soudain, peut-être un abri de chasseur. Il défonce la porte d'un coup de pied et se recroqueville dans un coin. Puis il attend. Il guette longtemps les bruits qui finissent par s'estomper, il pense qu'il est sauvé et glisse dans l'inconscience.

Quand il revient à lui, le jour est levé. Il sort devant la cabane. Sa cheville est enflée, douloureuse. Les bois sont calmes, il espère que la chasse est finie, qu'ils ont renoncé à les reprendre ; après tout, où pourraient-ils aller ? Lentement, il revient sur ses pas, essayant de retrouver son chemin, mais tout est si différent ce matin. Il lui faut deux heures pour retrouver le camp. Sans doute a-t-il tourné en rond, il crève de faim. La grille, enfin. Personne. Il se rapproche du baraquement calciné et profite de la chaleur que dispensent les braises. Il reste là, longtemps, ne sachant que faire.

La poutre s'est effondrée sur Matthieu. Benjamin se précipite, le relève. Matthieu grimace de douleur.

– Mon bras… Ça fait mal…

– Viens, on n'a pas le temps !

Ils suivent la foule des lycéens qui déferle par le portail du camp, comme une vague qui déborde du quai.

– J'en peux plus, il faut que je m'assoie !

– Pas maintenant !

– Je vais appeler mon père, il viendra s'il sait que je suis blessé.

– Pas maintenant, je te dis ! Il faut quitter la route.

Ils dévalent la pente glissante ; Benjamin pousse Matthieu devant lui mais il sait que son ami n'ira pas beaucoup plus loin.

– Là !

Ils progressent à quatre pattes dans le fossé jusqu'à la buse qui passe sous un chemin de terre.

– Maintenant, on attend que ça se calme.

Les heures sont interminables. Ils sont allongés côte à côte ; Matthieu tremble, Benjamin le serre dans ses bras pour essayer de le réchauffer. Deux fois dans la nuit les soldats passent tout près. Heureusement, ils n'ont pas de chiens, mais Benjamin doit plaquer sa main sur la bouche de Matthieu pour assourdir ses gémissements. Ils entendent des pleurs ; de nombreux fuyards ont été repris et ils comprennent qu'on les embarque dans des camions. Les portes claquent et les moteurs grondent. Puis c'est fini, le silence retombe.

Ils s'extraient de leur cachette, trempés, frigorifiés. La fièvre secoue Matthieu de longues vagues de tremblements. Ils escaladent le talus et rentrent dans le camp déserté, et Franck est là, accroupi devant les braises du baraquement.

– Et vous êtes revenus ici ?

– On n'a pas trouvé mieux.

À mon tour, je leur raconte Lucas, la grange, la ferme, le dernier barrage où j'ai perdu mon compagnon de route. Les quintes de toux de Benjamin hachent mon récit. Il presse furtivement un vieux bout de tissu répugnant contre sa bouche, mais c'est trop tard : j'ai vu le sang sur ses lèvres.

– J'ai pris froid dans ce fossé, murmure-t-il, comme pour s'excuser.

– Je veux voir mes parents, je dis brusquement. Ça doit être possible de se faufiler jusqu'au centre, non ?

Aucun ne répond.

– Je ne comprends pas, vous savez quelque chose, ou pas ?

Franck se décide.

– Il y a deux nuits, je crois – on venait d'arriver –, on a entendu des cris, en bas, dehors. On est montés sur la terrasse, et on a vu un garçon poursuivi par toute une troupe bizarre, moitié militaires, moitié civils, huit ou dix peut-être. Il a couru aussi vite qu'il a pu, il est venu par ici, a fait le tour du château. Nous, on a eu peur. On a pensé qu'il allait attirer les policiers. Et ça n'a pas raté ; il a découvert la porte et est entré. Les autres étaient juste derrière.

Il n'arrive pas à continuer.

– On est descendus de la terrasse, reprend Matthieu, et on a écouté ce qui se passait en bas. On a entendu les pas juste en dessous de la trappe. Il essayait de la soulever mais nous, on a eu trop peur de se faire repérer alors on s'est assis dessus. Lui, il frappait de toutes ses forces, il criait, il hurlait, même : « S'il vous plaît, s'il vous plaît ! »

– On n'a pas bougé, soupire Benjamin.

– On ne pouvait pas, complète Franck. Ils allaient nous prendre.

– Il s'est arrêté de crier, dit Matthieu. D'un coup. Comme si…

On sait tous ce qu'il veut dire.

– Ça ne rime à rien… Pourquoi ils s'acharnent sur nous ?

– Ils croient encore que c'est de notre faute, répond Benjamin. Et ils ont peur.

On se tait. Je sais qu'ils entendent encore le bruit des poings sur la plaque de métal.

– Je vais aller au centre, dis-je. Cette nuit.

Quand nous redescendons, les deux frères ont disparu. Avec les provisions.

Benjamin fouille dans les recoins, en vain.

– Génial… Il va falloir aller nous ravitailler.

– Mais comment vous faites pour ne pas vous faire repérer ? je demande.

– Viens, tu vas voir, répond Franck.

Je suis content de retrouver l'air libre. Il est encore tôt, mais le soleil perce enfin les nuages et fait monter des nappes de brume de la forêt toute proche.

Les rues sont désertes ; nous marchons jusqu'à la zone pavillonnaire.

– On se met deux par deux et on se prend une rue. Tu viens avec moi, Thomas ? propose Benjamin.

Il m'explique pendant qu'on remonte la rue des Fleurs :

– La plupart des maisons sont vides... Les gens sont morts ou alors ils ont quitté la ville. Il paraît que le virus se propage moins vite à la campagne. Mais faut faire gaffe : certains se terrent à l'intérieur et ils peuvent être violents... Celle-ci, regarde : j'ai l'impression qu'il n'y a personne.

C'est un pavillon semblable à tous les autres. Les volets sont fermés, la porte du garage est restée ouverte mais celui-ci est vide.

– Les volets sont fermés, et la porte a l'air solide. On va faire comment ?

– Je vais te montrer.

Il se hisse sur le toit du garage et me tend la main pour m'aider. Il prétend que c'est facile, mais il est déjà en sueur.

– Et maintenant, on entre.

Il commence à retirer les tuiles rondes de la toiture. Je l'imite, et bientôt nous dégageons une ouverture assez grande pour nous y glisser.

– Il y a souvent des combles, et toujours un passage vers l'intérieur.

Il balaie l'obscurité de sa lampe torche.

– Gagné !

Benjamin soulève la trappe en bois et nous atterrissons dans la cuisine.

– Les placards… Uniquement ce qui se garde.

Je trouve un sac. La récolte est bonne : nous le remplissons de provisions.

Quand nous avons raflé la nourriture, nous nous aventurons dans le reste de la maison. Les lits sont faits, mais quelques jouets traînent encore par terre. Un flacon de parfum est resté ouvert dans la salle de bains.

– On prend aussi les couvertures, et regarde s'il reste des fringues…

Je fouille les placards, mal à l'aise de cette intrusion dans la vie de parfaits inconnus. Je trouve quelques vieilles chemises, des pulls.

– Prends tout, chuchote Benjamin, agacé de voir que j'hésite.

Il y a une petite valise noire au fond d'un placard ; j'y entasse notre butin.

– C'est bon, on peut partir, maintenant. On va sortir par l'arrière.

À nouveau, nous sommes dans la rue. Mais cette fois nous ne sommes pas seuls. Sous un porche, une petite fille nous regarde. Elle se balance doucement, d'une jambe sur l'autre, en chantonnant. Elle tient une sorte de foulard à la main, dont l'autre extrémité balaie le sol. Sa robe verte est crasseuse, ses pieds sont nus.

– Tu crois qu'il y a quelqu'un dans la maison ?

Benjamin ne répond pas. Nous ne voulons pas vraiment savoir ce qui se cache derrière cette porte.

– Viens, on va finir par se faire repérer.

Franck et Matthieu sont déjà au château d'eau quand nous revenons. Eux aussi ont trouvé des vivres. On se félicite en entassant les provisions, mais notre joie est feinte.

J'ai patienté toute la journée ; maintenant il est temps de partir.

– Je vais t'accompagner, dit Matthieu.

Comme j'ai l'air surpris, il ajoute :

– Je n'en peux plus d'être ici.

– Moi, je crois pas que j'en aurai la force, dit Benjamin alors que je ne lui demande rien.

– C'est trop risqué, dit Franck. Vous allez vous faire chopper.

– Et quoi, on reste ici combien de temps ? dis-je. Tu ne veux pas savoir ce qui se passe vraiment ?

– Je ne veux pas retourner dans un camp, tu peux comprendre, non ?

– Et Lucie, on la laisse tomber ?

– Qui te dit qu'elle est en ville ? Elle peut être n'importe où, non ?

– On est bien revenus ici, nous.

– Et nos parents ? insiste Matthieu. Je veux savoir comment ils vont.

– En tout cas, je ne m'inquiète pas pour ton père, rétorque Franck.

– C'est quoi votre plan ? demande Benjamin pour faire tomber la tension.

– Rejoindre le centre-ville, essayer d'arriver chez nous… Ne pas rester terrés ici en attendant qu'on vienne nous débusquer comme du gibier !

Suivi par Matthieu, je descends l'escalier et nous nous faufilons par la porte entrouverte. Le ciel est clair, il fait presque doux. Un bref sentiment d'euphorie m'envahit. Cette nuit, tout me semble possible.

– Ça va ? je demande à Matthieu.

Il se contente de hocher la tête ; je le trouve étrangement silencieux. Peu importe.

– D'abord, il faut franchir le fleuve. J'ai pensé au vieux pont, ou à celui du train…

– Un peu évident, non ?

– Sans doute, tu as raison.

Et j'ai une idée, si absurde qu'elle me fait rire.

– Allez, viens, je sais comment on va faire.

– Dis-moi !

– Tu verras bien.

Nous coupons à travers les jardins désertés. Les rues sont vides, nos pas résonnent sur le macadam ; l'air tiède semble nous porter, j'ai envie de courir. Trop de semaines à guetter, à obéir, à accepter. Je veux agir. Nous voici sur les berges du fleuve, la promenade que j'ai parcourue des dizaines de fois.

– On remonte le courant…

J'ai parlé fort, ma voix porte. J'aime l'entendre tranchante, assurée. Matthieu ne pose plus de questions. Il obéit. Encore vingt minutes, dans une obscurité presque complète. Nous y sommes.

– La base nautique ?

La base nautique, oui. Nous y passions nos étés, entre pédalo, kayak et baignade dans le fleuve. J'y ai appris à nager, je m'y suis même brisé une dent en plongeant d'un rocher.

– On va embarquer !

Je me souviens du local où sont rangés les canoës. Je pulvérise le cadenas rouillé avec une pierre et j'ouvre grand les portes.

– Je ne te propose pas un pédalo… Allez, aide-moi. Celui-ci a deux places.

Nous portons le canoë jusqu'à la rive.

– Au point où on en est, on se passera de gilets de sauvetage.

Je me sens sûr de moi, je plaisante, mais je n'arrive pas à dérider Matthieu. Au moins il ne s'oppose pas à mon plan.

– On sera de l'autre côté dans quelques minutes.

Il nous faut quelques instants pour nous coordonner, puis nous progressons rapidement. Il n'y a presque pas de courant ; nous laissons derrière nous un sillage étroit qui disparaît presque aussitôt. Le fleuve est noir, impénétrable. Impossible de croire que la vie, en dessous de nous, prospère. Nous cessons de pagayer et le canoë vient lentement heurter la rive, au pied d'un saule pleureur si touffu qu'il nous avale entièrement. Nous devons déranger quelques bêtes nocturnes, car les fourrés, soudain, bruissent. Un pied à terre, nous tirons le canoë sur la rive – il faudra bien que nous revenions. Peut-être.

Je connais moins bien ce quartier, mais Matthieu vient à mon secours.

– J'ai habité par ici, avant le lycée. Il faut suivre cette rue.

Nous nous mettons en marche et tout d'abord rien ne change : mêmes petites maisons, mêmes rues désertes, même impression d'une ville abandonnée. Mais le tracé, bientôt, est moins rectiligne. Nous croisons des boulevards où circulent quelques voitures tous feux éteints. Un grand immeuble, devant nous, fume encore et ruisselle des tombereaux d'eau déversés en vain pour en éteindre l'incendie. La façade est éventrée, comme déchiquetée par la mâchoire d'un squale géant. Nous nous approchons prudemment.

– Je crois que c'était la poste, dit Matthieu.

Le trottoir est jonché de restes dérisoires : une chaussure, le squelette d'un vélo, une poussette renversée. Je regarde mes mains : elles sont couvertes de poussière noire.

– Je sais où on est, je dis brusquement.

Oui, je sais. Dans cinq cents mètres nous déboucherons sur le cours Mirabeau. Le lycée. Ma ville. Mais c'est compter sans le cordon de militaires qui barre la rue. Nous essayons la suivante, mais là non plus nous ne passerons pas. Sur notre droite, la porte d'un petit immeuble est béante. Je monte quelques marches mais l'odeur me prend à la gorge, maladie, excréments, viande pourrie mélangés. Je bats en retraite, dévale l'escalier en me retenant au mur, je veux retrouver la rue, à ciel ouvert. Mais dehors, Matthieu n'est pas seul. Je découvre un homme petit, sanglé dans un manteau sombre, et reconnais son père. Un personnage bien moins impressionnant que l'idée qu'on pourrait se faire du chef du Centre Stratégique de Santé.

– Je l'ai appelé avant qu'on parte, m'explique-t-il. Tu te souviens, le portable que j'avais au camp ?

– Tu ferais bien de te rendre, me dit son père. Tu serais en sécurité, bien plus qu'ici.

– Mais papa ! Tu m'avais dit qu'on l'emmenait !

– Je prends déjà des risques, Matthieu. Alors non, on ne va pas l'emmener.

Il me regarde.

– Je crois que tu as aidé Matthieu, alors je te laisse partir, si c'est ce que tu souhaites. Mais tu fais une erreur. C'est dangereux de s'aventurer dans le centre.

Matthieu ne proteste pas. Il ne sait qu'obéir à son père. Il n'en a pas peur, il pense simplement que cet homme ne peut pas se tromper. Je le prends à part.

– C'est pour ça que tu voulais m'accompagner ? dis-je, amer. Tu avais tout prévu depuis le château d'eau : il te fallait quelqu'un pour t'aider à rentrer en ville.

– On ne peut rien faire tout seuls, Thomas. On a besoin d'aide.

– De l'aide des flics ? De ceux qui nous ont parqués dans ce camp ?

– Tu verras. Tout ça va s'arrêter et on va se revoir, c'est sûr.

Inutile de discuter. Déjà, ils se dirigent droit vers le barrage des militaires. De loin, je vois le père de Matthieu lancer un ordre, on leur approche une voiture et ils disparaissent.

J'ai bénéficié d'un sursis qui ne durera pas : puisque je ne peux continuer sur l'avenue, je vais contourner l'obstacle. Je prends le boulevard Rondelet, qui va droit vers le quartier de la Chamberte. De là, j'essaierai de repartir vers le centre.

La Chamberte. Je me souviens de ce qu'Antoine m'a raconté au téléphone. L'évacuation. Les cadavres abandonnés. J'ai du mal à y croire, aussi j'ai envie de voir par moi-même. Sur Rondelet, les vitrines d'un grand magasin gisent sur le sol en milliers de débris de verre. J'aperçois à l'intérieur les ombres qui dérivent entre les rayons. J'entre, parce que je suis affamé. Comme il est facile de se servir ! J'empoche gâteaux et chocolats. De retour dehors, à découvert, je me sens mal à l'aise. Sur le trottoir opposé, un groupe de quatre hommes semble surveiller les passants.

– Hé, toi, là-bas ?

Ce n'est pas moi qu'ils hèlent, mais une silhouette qui marche tranquillement au milieu de la rue. Je me dissimule comme je peux dans l'encoignure d'une porte cochère et j'observe. L'un des quatre hommes – la quarantaine, un sweat, des gants, une écharpe qui lui dissimule le bas du visage – s'avance. C'est une jeune fille qu'il interpelle.

– Tu sais pas que t'as pas le droit d'être là ?

– Non, non, j'ai vingt-deux ans, attendez, je vais vous montrer.

La voix de la fille est trop aiguë, elle est proche de la panique. Elle fouille son sac, tend sa carte d'identité à l'homme à l'écharpe qui ne la regarde même pas.

– Des papiers, ça se trafique. Et puis, vingt-deux ans… qui sait à quel âge vous redevenez sains, hein ? Moi, je dis que, dans le doute, ils auraient dû viser bien plus large. Virer d'ici tous ces dégénérés de jeunes. Trop facile de foutre la ville par terre, non ?

Il est ivre, c'est certain.

– C'est ça le plan, hein ? Les vieux au cimetière et vous revenez vous servir, bien tranquilles ? Mais tu vois, ma petite, on est encore quelques-uns à ne pas se laisser faire. Les flics sont débordés. Nous, on fait le boulot.

La fille recule mais les autres s'approchent, menaçants. La boule que j'ai dans le ventre m'envoie un signal : ça va mal tourner.

– Tu vas venir avec nous, et on va vérifier... Vous, allez chercher la bagnole !

Juste quelques secondes pour agir, malgré mes jambes qui tremblent, le sang qui palpite au bout de mes doigts et le goût de métal dans ma bouche. L'homme à l'écharpe agrippe la fille par le bras, elle se débat comme un renard dont la patte a été mordue par le piège. Un enlèvement en pleine rue ! Je ne pourrai pas le supporter. Alors je sors de l'ombre ; je suis calme maintenant, je marche facilement, sûr de moi.

Je suis jeune, beaucoup plus jeune que cet homme. Lorsqu'il capte enfin mes mouvements, je suis sur lui en quelques enjambées. Je n'en crois pas mes yeux : il a peur ! Il lâche la fille, il recule, et je dis « Viens ». Elle court vers moi et je la prends par la main. Comme je la tire vers le trottoir, elle manque de trébucher, et il est juste temps parce qu'une voiture arrive, le moteur hurlant.

La grande surface dévastée est tout près. J'entraîne la fille derrière moi et nous traversons le magasin, nous nous faufilons entre les formes nichées dans des sacs de couchage et les étals renversés. J'entends près de l'entrée la voix de l'homme à l'écharpe.

– Ils sont là-bas !

Nous trouvons la porte de la réserve, un entrepôt gigantesque que nous traversons jusqu'à la zone de livraison.

– Par ici !

C'est elle qui m'entraîne, maintenant. Un croisement puis un autre ; elle sait où elle va. Une barre d'immeuble. Elle a déjà sorti ses clés, l'escalier – bien sûr les ascenseurs sont des souvenirs du temps d'avant. Cinq étages… Un corridor éclairé par la flamme de son briquet. La cinquième porte ; elle l'ouvre et la referme précipitamment derrière nous. Nous sommes en sécurité. Quartier de la Chamberte. Quarante jours après le début de l'épidémie.

Elle est un peu plus âgée que moi, et elle s'appelle Carlotta.

– Ta famille est espagnole ?

– Non, des parents cinéphiles. *Sueurs froides*, d'Alfred Hitchcock, ça te dit quelque chose ?

– Rien du tout. Moi, c'est Thomas, au fait. Tu es seule, ici ?

Elle écarte les bras, l'air de me demander : « À ton avis ? » puis allume une petite lampe de camping.

– Pose-toi où tu veux.

Elle s'assoit dans un fauteuil en cuir défraîchi.

– Tu sors d'où ? La dernière fois que j'ai vu quelqu'un de ton âge, les flics l'embarquaient, près de la mairie…

Elle s'interrompt quelques secondes.

– Merci de m'avoir aidée. D'habitude, je ne sors pas la nuit. Mais là, je n'en pouvais plus. Ces journées sans fin… J'avais besoin de voir du monde, n'importe qui.

– Eh bien voilà, tu m'as trouvé : n'importe qui.

Ni elle ni moi ne sourions. Nous sommes deux étrangers. Mais, à cet instant, nous sommes indispensables l'un à l'autre.

– Comment tu as fait pour rester planqué jusque-là ? demande-t-elle.

– J'étais… ailleurs. Enfermé, mais en sécurité, en quelque sorte. On s'est échappé et j'ai mis longtemps avant de revenir. Et maintenant, je suis paumé.

– Attends… Tu n'as pas de famille ici ? Tu es seul ?

– On est quelques-uns, on se cache en attendant… je ne sais pas quoi, en fait. Et ce soir, je voulais rentrer chez moi, mais le quartier est bloqué.

– Tu ne sais vraiment pas ce qui se passe ici ?

– Non, je pensais qu'à mon retour, tout ça serait fini, et je découvre la guerre.

– Tu veux que je te raconte ?

Oui, je veux savoir.

– Quand ça a commencé, quand ils ont dit qu'ils vous mettaient à l'écart, on s'attendait à ce que ça s'arrange vite. On n'était pas tous d'accord, mais au moins on allait en finir avec le virus. Il y a eu des discussions, à la fac, pour savoir si on devait vous soutenir, faire grève… Ça paraît ridicule, maintenant. Comme tu le sais, ça ne s'est pas arrangé. Le Zéro était dans nos murs, et il a continué à frapper. Au hasard. Flics, profs, médecins, ouvriers. Tous égaux, pour une fois. Et on a compris que ça ne faisait que commencer. Peut-être que vous aviez amené le virus, mais il n'avait pas besoin de vous pour continuer à… nous bouffer, un par un. Le maire, les ministres, ils ont tous été débordés. Peut-être que si on avait isolé les malades ça aurait retardé la contagion, mais, comme je te disais, c'était censé être fini.

Elle parle froidement. Manifestement ce qu'elle a vu pendant toutes ces semaines l'a endurcie.

– Puis tout s'est effondré. Plus d'ouvriers pour faire tourner les usines, pour entretenir le barrage et plus d'électricité, plus d'eau potable. Plus personne pour livrer la bouffe. Et c'est devenu la folie. Plus rien à manger, alors les gens entraient au hasard dans les baraques et ils se servaient. Et quand ils tombaient sur des malades ils les laissaient là, ils fouillaient les placards sous leurs yeux pour leur piquer leurs fringues. Pas leur fric, bien sûr, à quoi ça pouvait servir ?

– Mais les malades n'étaient pas à l'hôpital ?

– Tu ne te rends pas compte ! Je ne te parle pas d'une épidémie de grippe, là. J'ai entendu dire que la moitié des gens de la région étaient malades. Les hostos étaient pris d'assaut, et après, ça a été les cimetières.

– J'ai un ami… Il a dit qu'ici ils entassent les morts dans…

Elle se penche vers moi, plaque sa main sur ma bouche.

– Ne le dis pas, s'il te plaît. J'ai envie de croire qu'il y a encore de vraies personnes dans ces tours que tu vois par la fenêtre. Qui embrassent leurs enfants. Qui s'attablent en famille.

Antoine n'exagérait donc pas : c'est un cataclysme qui a frappé ma ville.

Elle reprend, d'une voix si basse que je l'entends à peine.

– Alors il a fallu plus de flics, plus de militaires pour essayer de rétablir l'ordre. Mais ça ne suffisait jamais : la moitié des soldats étaient touchés à leur tour, et donc personne n'a plus eu le droit de sortir. Il n'y avait plus rien pour endiguer cette mort lente.

Elle se lève, va vers la fenêtre. Je la rejoins et j'appuie doucement mon front contre la vitre glacée.

– J'étais en fac de sciences. Astronomie. Le voilà, notre trou noir…

La ville est noire, effectivement. Je discerne seulement de minuscules points lumineux, quelques bougies certainement, derrière des fenêtres, au loin.

– Mais qui contrôle tout ça ? Qui s'en occupe ?

Elle rit doucement.

– Ça s'appelle l'état d'urgence. Il paraît que c'était prévu, mais personne n'en avait jamais entendu parler. Un comité je ne sais quoi de santé. Ils font des communiqués, ils placardent des affiches. Suspension des droits en période de crise épidémique. Plus d'élections, plus de discussions. Tu es malade, tu es un ennemi.

– Et toi, pourquoi tu restes ici ?

– C'est partout pareil, et il n'y a plus de trains, plus de bus, rien.

– Tu ne veux pas rejoindre ta famille ?

– Non, plus de famille non plus.

Et, soudain, je réalise. Je m'éloigne brusquement, mais elle sourit.

– Ne t'inquiète pas, Thomas, que tu sois contagieux ou non n'a plus aucune importance !

Elle se retourne brusquement.

– Qu'est-ce que tu comptes faire ?

– Je voulais retrouver ma famille. Mais je n'y arriverai pas.

– Parce que les rues sont bloquées ?

– Parce que j'ai peur de savoir, je crois. S'ils sont malades, s'ils sont morts. Ou s'ils se méfient de moi. Peur d'avoir tué ma sœur. Ou ma mère. Ou mon père.

– Alors va rejoindre tes amis, Thomas. Cachez-vous, comme vous pouvez. Vous ne pouvez pas tomber malades et ça, on ne vous le pardonnera pas.

– Viens avec nous !

– Non, bien sûr que non ! Il faut que vous restiez entre vous. Ce sera à vous de recommencer, un jour. Va-t'en, maintenant. Vite.

Je n'insiste pas. Je marche jusqu'à la porte, j'ouvre, je sors, mais je me ravise.

– Le Zéro… Tu as le Zéro, c'est ça ?

– Va-t'en. S'il te plaît.

Je referme la porte. À nouveau ce couloir, ces portes closes. Ces tombeaux.

8. Agonie

Il me faut de longues heures pour revenir au fleuve, retrouver le canoë et marcher encore jusqu'au château d'eau. Benjamin, Franck et moi. Nous ne sommes plus que trois. Je leur raconte Matthieu, et la ville, et Carlotta. J'ai réfléchi pendant cette nuit d'errance.

– Il faut retrouver Lucie.

– Tu ne veux plus rejoindre ta famille ?

– Thomas a raison, dit Benjamin. C'est Lucie qui compte.

J'ai l'impression d'avoir acquis un nouveau pouvoir : m'imposer.

– Et on fait comment ? demande Franck. Tu penses qu'elle n'est pas revenue ici ?

– Elle nous aurait cherchés, vous l'auriez vue, au parc…

– Alors où est-elle ?

J'en sais si peu sur Lucie. En dehors du fait qu'elle n'a pas de famille, qu'elle ne partait jamais nulle part les fins de semaine…

– Le foyer, je murmure.

– Oui, le foyer, renchérit Franck. Elle t'en a parlé aussi ?

De ça, il faudra discuter plus tard. De Franck, de Lucie, de moi. Mais je ne me laisserai pas mordre par la jalousie, affaiblir par le doute.

– Tu sais où c'est ? je demande.

– Elle m'a dit le nom du village, un coin reculé dans les montagnes. J'imagine qu'une fois là-bas, c'est pas difficile à trouver.

– Tu sais y aller ?

– Plus ou moins.

– Alors tu fais quoi, Franck ? Roi du monde dans ce clapier ou sur la route avec nous ?

Il me dévisage, les yeux rivés dans les miens.

– Tu vas trop loin, Thomas. C'est ça que tu penses ? Que je n'en ai rien à faire ? C'est facile de juger, maintenant qu'on est sortis du camp. J'ai essayé d'organiser les choses, au moins. C'était dur, c'était violent, peut-être, mais je ne suis pas resté à me lamenter. Il fallait que quelqu'un mette de l'ordre. Et ça a été moi. Alors oui, peut-être que j'ai déconné, mais on s'en est tiré.

Il a raison. Il s'est sali les mains pendant que je me posais des questions.

– OK, allez, excuse-moi. Je voudrais juste que tu nous accompagnes. On doit rester ensemble.

Il éclate de rire.

– On y va ! Le roi du monde pense qu'il ne serait pas idiot d'embarquer la bouffe qu'il nous reste. Ça te va ?

Nous sourions ; j'ai envie de les prendre dans mes bras.

Nous n'empruntons que les petites routes, les chemins. Nous coupons à travers champs quand nous pouvons. Vers midi, nous apercevons un camp de tentes – peut-être une centaine – et reconnaissons des ambulances et des camions de la Croix-Rouge.

– Les habitants qui ont préféré quitter la ville, explique Franck. Ils se sont mis à l'abri. J'espère que ça a marché.

Nous continuons sans prendre garde aux hélicoptères qui régulièrement nous survolent : qui se préoccuperait de trois garçons à la dérive ?

Benjamin peine de plus en plus, cassé en deux par de longues quintes de toux. Je ralentis pour qu'il revienne à mon niveau et je suis effrayé par ses joues creusées, ses yeux rougis, son front ruisselant de sueur. Il tente de sourire, mais ça semble être un effort insurmontable. Son visage est figé, presque paralysé.

– On va s'arrêter… Tu aurais dû nous dire que tu allais mal !

Il se jette sur le bas-côté, s'allonge sur l'herbe et ferme les yeux.

– Franck ! On va faire une pause.

Benjamin grelotte sous le soleil. Je pose mon blouson sur lui, mais bien sûr ça ne servira à rien : le froid vient de l'intérieur de lui. Nous restons là, deux heures peut-être. Benjamin s'endort parfois ; quand il se réveille, il fixe le ciel, ses mains s'agitent, comme s'il mimait quelque chose.

– Nous devons trouver un abri pour la nuit.

Franck pose la main sur l'épaule de Benjamin qui sursaute, comme s'il s'éveillait d'un cauchemar. Il revient à nous, lentement, de très loin.

– Je ne suis pas super en forme, les gars.

– Il faut qu'on bouge, qu'on trouve un endroit pour dormir, je lui explique.

– Oui, oui… bien sûr. Le problème, c'est que je ne crois pas que je vais y arriver.

Il secoue la tête, brusquement, comme pour chasser un insecte. Puis il s'échappe à nouveau, il redescend dans son esprit. Ses lèvres bougent, comme s'il menait une conversation secrète, mais il ne dit rien. Je le secoue doucement.

– Benjamin ! Benjamin !

– Thomas, c'est toi ? C'est difficile, tu sais. De bouger. Si ça ne t'embête pas, je vais me reposer un peu.

Mais il tousse, longtemps, douloureusement.

– On va le porter, dit Franck.

On le traîne, en fait. Chacun d'un côté, ses bras autour de nos épaules, les nôtres qui tiennent sa taille. Parfois ses pieds raclent le sol ; à d'autres moments il parvient à tenir le rythme de la marche.

– Ce sera là, dit Franck. Je n'en peux plus.

Un chemin de terre qui part sur notre droite. Et, garée à cinquante mètres, une camionnette défoncée.

– C'est mieux que rien, j'imagine.

Nous entendons les aboiements. Je regarde à l'intérieur du véhicule par la vitre sale et vois un gros chien fou qui tourne sur lui-même en grattant la porte de la camionnette. Depuis combien de temps est-il là ? J'ouvre la porte latérale. Il se précipite dehors et fuit droit devant lui. Franck jette un coup d'œil à l'intérieur et fait une grimace dégoûtée.

– Il va falloir nettoyer… Laisse-moi quelques minutes.

Enfin à l'abri, nous nous relayons pour veiller sur Benjamin. La nuit est longue, interminable, hantée par les rafales de vent qui font tanguer la camionnette. Notre ami délire, maintenant, marmonnant des mots incompréhensibles, une prière à ses terreurs secrètes. À quatre heures du matin, je réveille Franck.

– Ça empire très vite.

Nous sommes démunis. Benjamin finit par se calmer et se rendort. Il semble que le vent bat moins fort. Épuisé, je sombre dans un sommeil profond.

Je ne sais pas exactement combien de temps nous dormons, mais quand nous nous réveillons, Benjamin n'est plus là. On se précipite dehors. La tempête est terminée, la lumière blesse nos yeux. Il n'y a pas âme qui vive, aussi loin que nous pouvons regarder. Je reviens vers la camionnette et découvre un papier coincé sous l'essuie-glace. Un vieux reçu de carte bleue au dos duquel on a gribouillé une note à la va-vite. L'écriture est tremblante, inégale ; il devait faire nuit noire quand Benjamin l'a rédigée.

Je n'ai plus la force. Penser à la journée qui vient me terrorise. Je sais bien que je vous retarde. Je vais tenter ma chance de mon côté. Retrouvez Lucie.

Benjamin.

Franck se cache le visage dans les mains.

– Quel idiot ! Mais quel idiot ! Tu crois…

– Ça doit faire des heures… Il peut être n'importe où.

– Oui, à ramper au milieu d'un chemin ou vautré dans un fossé.

Nous partons chacun dans une direction différente mais il n'y a aucune trace de Benjamin. Je rejoins Franck.

– On ne le retrouvera pas… Il faut qu'on continue.

– D'accord, dit-il. D'accord. On continue.

Des bois, des rivières. Des ponts, des chemins. Nous nous élevons dans la montagne, et il fait plus froid. Je marche en tête, les yeux rivés au sol, comme si je pouvais laisser derrière moi l'image de Benjamin titubant, perdu. Il nous faut nous arrêter à nouveau, repris par la nuit. Nous sommes moins chanceux cette fois, et nous somnolons au pied d'un arbre après avoir dévoré nos derniers biscuits. Mes pieds sont sanguinolents, leur peau part en lambeaux. Je bourre mes chaussettes de feuilles mouillées pour calmer la douleur et tente de dormir, essayant d'ignorer ce qui grouille, fouille, rampe dans les sous-bois.

– On ne va pas y arriver, dit soudain Franck. On a perdu Matthieu, Benjamin et tous les autres. On va droit devant nous, vers ce village. On ne sait même pas si Lucie y est, mais on marche comme des bêtes, on crève de faim.

Je me redresse. L'aube est presque là, en éclaireur.

– Qu'est-ce que tu veux qu'on fasse d'autre ? Allez, viens, si on se dépêche, on y sera à midi.

Est-ce que les vivants ont déserté ce monde ? Cent mètres avant d'entrer dans le village, nous dépassons le cimetière, et par-dessus le muret nous apercevons une fosse ouverte, bordée de terre. Nous avançons dans les rues pavées. Il y a une petite épicerie aux volets de fer descendus. Je crois deviner une ombre à la fenêtre juste au-dessus, mais c'est peut-être un reflet du soleil sur la vitre. Plus loin, Franck me montre un panneau . *Foyer des Petites Sœurs.*

C'est une grande bâtisse blanche à la sortie nord du village. Trois étages plantés au milieu d'un petit parc. Une carcasse de voiture est encastrée dans le portail : on a défoncé la grille pour entrer. À l'intérieur, c'est le chaos. Éclats de verre, meubles brisés. Une giclée de sang sur le mur, comme une signature effrayante.

– Regarde le rez-de-chaussée, je prends les étages.

Je suis aux aguets en montant l'escalier de pierre. Des couloirs partent de chaque côté ; je pousse une porte puis une autre : des chambres, petites, presque entièrement occupées par des lits superposés. Vides. Le deuxième étage aussi. Tout en haut, je découvre des combles aménagés. Il me semble percevoir un gémissement, des pleurs. J'enfonce la porte d'un coup d'épaule.

Lucie est recroquevillée dans un coin, ses bras enserrent ses genoux. Je devine ses yeux fous à travers ses cheveux défaits, et elle hurle quand elle me voit.

Alerté par ses cris, Franck a accouru et nous restons dans l'entrebâillement de la porte, parlant doucement pour essayer de ramener Lucie à nous. Quand enfin elle se calme, nous nous agenouillons près d'elle. Je caresse ses cheveux, nous murmurons des mots familiers. Nos paroles sont une corde que nous lui lançons pour qu'elle s'y agrippe. Ça dure longtemps, très longtemps, puis je la prends dans mes bras. Elle passe ses bras autour de mon cou, enfouit sa tête contre ma poitrine. Je la soulève et nous redescendons. Au premier, une chambre a échappé au saccage ; j'allonge Lucie sur le lit. Nous voudrions comprendre ce qui s'est passé, comment elle est arrivée jusqu'ici, mais elle s'endort aussitôt en serrant ma main.

À la nuit tombée, nous laissons Lucie et redescendons. On barricade la porte d'entrée en poussant une armoire récupérée dans le grand salon. Je déniche des bougies et Franck fait l'inventaire de la cuisine, ouvrant un placard après l'autre pour ne découvrir que des étagères vides.

– Il n'y a plus rien ici, annonce-t-il. Il va falloir sortir.

– Attends, cherchons encore. C'était un foyer, il doit bien y avoir une réserve quelque part. Une cave, par exemple.

Nous fouillons la maison. Rien. Retour dans la cuisine. À la lumière vacillante des bougies, nous n'avions pas remarqué la trappe dans la buanderie attenante, au pied des deux gigantesques éviers. L'escalier plonge droit sous la terre. Je passe le premier et je découvre les rayonnages où s'entassent les conserves.

– On va pouvoir tenir un moment, dit Franck.

Nous avons marché à la limite de nos forces, perdu nos amis, vu notre monde réduit en charpie, mais c'est à cet instant que nous sommes submergés par le chagrin. Un moment de soulagement et nous avons baissé la garde ; nous glissons au sol, asphyxiés par les sanglots.

***

Au fil des jours, Lucie recommence à parler. Des bribes de phrases, des remarques banales, comme si elle réapprenait à agencer les mots. Nous ne lui posons pas de questions, nous attendons qu'elle soit prête. Progressivement arrivent les allusions, les souvenirs. Elle nous donne une à une les pièces du puzzle, comme si l'image reconstituée, dans son ensemble, était trop effrayante à regarder.

Nous devinons la sortie du camp, la fuite en avant, la montagne toujours plus escarpée. Et la chute, l'évanouissement. Le chasseur qui l'a retrouvée au matin, presque morte de froid, mais qui n'a pas posé de questions. Les premières heures dans la petite chambre, à guetter, à se demander s'il a prévenu les flics. La nuit passée chez cet homme qui n'avait pas peur de la maladie ni des autorités. Quand ses forces sont revenues, Lucie s'est remise en route, avec une idée fixe : retrouver le foyer où elle avait passé son enfance. Le seul endroit qui lui paraissait assez solide pour résister à la tempête qui s'abattait sur le monde. La longue marche, ensuite, se jetant dans le fossé dès qu'elle devinait un bruit de moteur. Et enfin la grande bâtisse dévastée. Sa chambre mise à sac, et plus âme qui vive. Elle pensait rester quelques jours, explorer les environs, retrouver la trace des professeurs, des surveillants. Demander asile.

Les deux hommes sont arrivés la quatrième nuit. Elle les a entendus fouiller les étages, l'un après l'autre, monter vers elle. Ouvrir une porte puis la suivante. Et ils l'ont trouvée. Quand ils ont fini par partir, elle n'était plus qu'un jouet cassé.

Ses mots me glacent, j'ai la nausée et je suis honteux aussi de n'avoir rien pu faire pour la protéger. Quand elle a fini de parler, elle relève la tête et tend les bras vers moi. Je la serre contre moi, je ne peux que lui murmurer des mots inutiles – c'est fini, tu ne risques plus rien. Et j'entends à peine Franck qui quitte doucement la chambre, qui nous laisse tous les deux.

Nous restons presque un mois terrés dans le pensionnat. Surveillant les alentours par les fenêtres, nous éclairant à la bougie. Nous avons trop peur que l'on nous repère, que l'on soupçonne que nous avons des vivres. Nous perfectionnons notre système de défense, nous consolidons les volets avec des chaînes et des cadenas. Nous aménageons une chambre, regroupons trois lits, et nous lavons même des draps et des couvertures. Mais nous dormons le jour, persuadés que le danger viendra de nuit.

Il arrive quatre semaines après notre arrivée. Les pas dans le parc, d'abord, nous alertent. Puis nous entendons les voix.

– J'ai vu de la lumière, je te dis.

– C'est bon, on va vérifier. Tu crois que la fille est encore là ?

Lucie se met à trembler, si fort que ses dents s'entrechoquent. Ils sont à la porte, ils essaient d'ouvrir les volets.

– Va chercher la hache.

Nous n'avons pas beaucoup de temps. Nous savons ce que nous devons faire. Nous soufflons les bougies et nous descendons l'escalier en silence. J'entraîne Lucie derrière moi, sa main est glacée, elle respire trop vite. Nous passons dans le hall quand retentissent les premiers coups de hache et déjà la porte se fissure. La cuisine, la buanderie. Franck ouvre la trappe et nous nous glissons sous terre. Noir absolu, silence total. Il nous semble que les murs de la cave battent au ralenti, comme un cœur géant. Mais ils entrent dans la cuisine ; nous nous prenons les mains et nous entendons leurs pas, leurs voix assourdies.

– Tu vois : il n'y a personne. Ça m'étonnait aussi...

Pour la millième fois, je me demande si nous avons bien dissimulé toutes nos traces. Lucie mord sa main pour empêcher ses dents de claquer.

– J'ai vu de la lumière, je suis pas fou. Je vais voir en haut.

Un bruit sourd sur la trappe. L'un des deux est resté dans la buanderie. Je voudrais réfléchir, savoir ce que je devrai faire s'il nous découvre, mais je n'arrive pas à endiguer la panique. Des pas à nouveau. Est-ce qu'il sort ? Est-ce que c'est fini ? Après un moment de silence interminable, la trappe se soulève de quelques centimètres, nous saisissons l'éclair fugitif d'une lampe torche.

Il nous a trouvés.

La trappe bascule complètement cette fois, la torche balaie le pied de l'escalier mais nous sommes dans un coin de la cave, hors de portée. L'homme hésite, puis se décide. Des boots apparaissent sur la première marche. Je sais que dans une seconde Lucie va crier. Je me rue vers l'escalier, j'attrape les jambes de l'homme et tire de toutes mes forces. Il perd l'équilibre et dévale sur moi. Sa tête cogne le sol, violemment. Je ramasse la torche et je la braque sur l'homme : il ne bouge plus.

– On sort, vite.

Nous escaladons l'escalier ; la buanderie est vide, l'autre doit toujours être en train de fouiller les étages. Dans le hall, je ramasse la hache, juste au moment où le second homme apparaît dans l'escalier. Je braque la torche. Bottes, jean, veste de chasse sans manches. Le visage mangé par la barbe. Il crie :

– Jean ? Jean ?

La hache est lourde dans ma main, pourtant je la relève. Il ne s'approchera pas de Lucie. Et aussitôt c'est évident : il a peur de nous. Franck a compris aussi. Nous sortons par la porte fracassée, certains qu'il ne nous suivra pas. Mais nous n'avons pas beaucoup de temps. S'il libère son complice, ils seront deux et leur courage renaîtra.

Le parc, la grille, le village. L'épicerie. Le volet de fer est relevé, la vitrine a volé en éclats.

– Ici, je dis.

Des rayonnages vides, une porte derrière le comptoir… Nous montons jusqu'à la mansarde. Un vasistas par lequel nous surveillons la rue. Personne.

Le matin nous trouve à bout de forces. Franck fouille l'épicerie, rapporte un trésor : deux boîtes de thon et un transistor. Les piles sont presque épuisées mais nous devinons le filet de voix fragile.

Statistiques encourageantes… le virus ne se propage plus… la décision a été prise de lever l'état d'urgence… déplacements sont libres… fermeture des camps… une enquête sera menée sur les excès du Centre Stratégique de Santé… le temps de la reconstruction… ce sera long… unité nécessaire…

Des mots. Que, d'abord, nous ne comprenons pas.

– C'est fini, alors ? demande finalement Franck. Comme ça, brutalement ?

Je ne parviens qu'à hocher la tête. L'émotion est trop forte. Je pensais que ce cauchemar n'allait jamais se terminer. Nous avons vu tellement d'horreurs, nous avons dû combattre sans cesse.

J'ai changé. Je sens que ma vie d'avant, insouciante, au jour le jour, a disparu pour toujours.

– On va rentrer, dit Lucie. Tu vas revoir ta famille, Thomas.

Je lui prends doucement la main.

– Je veux qu'on reste ensemble.

– Je ne te quitterai plus. Je le promets.

9. Guérison

Sur la place Carnot, là où, des siècles auparavant, nous allions voir des vieux films au cinéma Royal, un homme en noir est juché sur une chaise. Il brandit un carton sur lequel est écrit « Repentance » en grandes lettres rouges. Indifférente, une vieille femme hâte le pas, un paquet sous le bras. Plus loin, quelques enfants jouent au foot, en silence. Comme si la moindre parole pouvait rompre un équilibre fragile, attirer l'attention, faire revenir le malheur. Une odeur âcre flotte dans l'air, il me semble que c'est du soufre ; de temps à autre des volutes de fumée tourbillonnent entre les immeubles.

Lucie et moi passons devant le lycée ; quelques garçons traînent sur la place, mais nous ne nous arrêtons pas pour leur demander quand ils sont rentrés. Sur le boulevard, des sacs-poubelle partout ; un groupe de tentes frappées du sigle de la Croix-Rouge ; des portes condamnées par des poutres de bois.

J'aperçois enfin mon immeuble ; je me mets à courir, entraînant Lucie derrière moi, j'appuie frénétiquement sur le bouton de l'Interphone. Un déclic. Je pousse la porte en bois qui me semble moins lourde qu'autrefois. Le vestibule et l'escalier sont plongés dans le noir ; j'appuie en vain sur l'interrupteur et nous commençons à monter à tâtons. Maman est sur le palier. Elle m'étreint, sans dire un mot, avant d'embrasser Lucie, et je me demande si elle aussi a été contaminée par le silence qui semble s'être emparé de la ville. Je ne sais pas encore qu'on ne parle presque plus, dans notre appartement.

Lina apparaît sur le pas de la porte ; son visage s'illumine. Je me détache de maman et ma sœur pose sa main sur mon bras comme pour vérifier que je suis bien là.

– Vous allez tout nous raconter, hein ? dit-elle.

– Entrez, entrez, dit maman. Ne faites pas de bruit… Ton père dort.

Il est sept heures du soir ; ma mère fait mine de ne pas remarquer ma surprise.

– Ils ont annoncé hier que la quarantaine était terminée, mais on ne pensait pas que tu nous reviendrais si vite.

Je n'ai pas envie de leur raconter comment je me suis enfui, ni comment j'ai survécu à ces dernières semaines. Pas encore. Le salon est plongé dans la pénombre, je me sens comme un invité, hésitant à gagner ma chambre.

– Je vais chercher quelque chose à grignoter…

Maman nous laisse seuls. Lina me regarde fixement ; elle veut parler mais n'ose pas.

– J'ai eu peur que tu ne reviennes jamais.

Elle pleure, soudainement. Je me suis toujours demandé si on a un petit stock de larmes prêtes à couler, ou si on les fabrique, comme ça, instantanément.

Maman revient, et nous nous asseyons autour de la table basse ; Lucie est près de moi.

– Ça a été de la folie…, raconte maman. Tout s'effondrait un peu plus chaque jour. On a essayé de continuer après ton départ, Lina à l'école et nous au boulot, alors que tout allait de travers. Plus rien ne marchait, on n'avait plus d'eau et le courant sautait tout le temps. On partait travailler tous les matins, comme si de rien n'était, mais on était chaque jour moins nombreux, et impossible de savoir ce que nos collègues étaient devenus. Est-ce qu'ils se planquaient chez eux ou…

Sa voix se casse. Les larmes, longtemps contenues, ruissellent, et elle n'essaie même pas de les essuyer. Lina vient s'asseoir sur mes genoux.

– Maman, je demande. Pourquoi est-ce que papa dort à cette heure-ci ?

– C'était dur, Thomas. Les voisins tombaient malades les uns après les autres. On a fini par décider que Lina ne retournerait pas à l'école. Et depuis… Depuis on est là tous les trois, à attendre les colis de la Croix-Rouge pour pouvoir manger un peu, plongés dans le noir, sans rien d'autre à faire que guetter les nouvelles à la radio.

– Pourquoi papa dort ? je répète.

Lucie serre ma main.

– Il est malade, Thomas. Il a été contaminé.

La nausée m'envahit : je suis parti et ça n'a rien empêché.

– C'est arrivé quand ?

Souvent, on ne pose pas la bonne question. On s'intéresse à un détail, parce qu'on n'ose pas aller à l'essentiel, parce qu'on ne sait pas très bien si l'on est capable d'entendre la réponse. Parce que peu importe quand, où, comment c'est arrivé ! Après tout, nous sommes dans une ville rongée par l'épidémie, et la maladie ne peut pas toujours choisir ses victimes ailleurs. Mais nous n'avons rien fait pour mériter ça, n'est-ce pas ? Nous menons notre vie sans gêner personne, et il serait tellement injuste que le malheur s'intéresse à nous.

– Avant-hier… Il a commencé à se sentir mal, puis les éruptions sont venues. On a espéré que c'était autre chose, mais…

Mais. Bien sûr, c'était le virus Zéro.

– Il va comment ?

Six mois plus tôt, je sais ce que ma mère m'aurait répondu. « Rien de grave, j'en suis sûre. Encore quelques jours et il sera d'attaque. » Elle m'aurait fait comprendre qu'on ne pouvait pas parler devant ma sœur et qu'on rediscuterait plus tard. Mais elle n'en a plus la force.

– Je désespérais que tu rentres à temps, dit-elle. Je vais le réveiller.

Elle disparaît dans le couloir, entre dans leur chambre. Nous restons silencieux, Lina, Lucie et moi.

– Vous venez ?

– Je t'attends ici, dit Lucie.

C'est mon père, allongé, dans ce lit. Je le sais, et pourtant je ne le reconnais pas tout à fait. Ce sont sans doute les joues creusées, les yeux cernés, le teint cireux. Les cheveux dont je ne me souvenais pas qu'ils étaient à ce point gris. Mon père n'est pas comme ça : faible, épuisé. Mon père ne souffre pas. Mon père n'est jamais résigné. Je m'approche, je ne sais pas si je peux l'embrasser, alors je m'assieds sur le bord du lit et je prends sa main. Il tente de sourire, mais ses lèvres craquelées le font souffrir.

– Thomas…

Sa voix aussi a changé. Noyée dans un souffle d'air qui monte des poumons, comme criblée de cailloux minuscules qui hachent chaque mot.

– Tu es là… C'est bien. J'espérais…

Il ne termine pas sa phrase. Me revoir une dernière fois.

– Approche aussi, Lina.

Elle s'assied de l'autre côté du lit.

– Je me suis déjà senti mieux, vous savez…

Le fantôme de son humour, de sa joie de vivre.

– Je ne veux pas t'imposer ça, Thomas. Pas maintenant, alors que tu viens de rentrer. Mais le temps passe.

Il tousse, se reprend.

– Je n'ai pas réussi à vous protéger, il faudra que vous me pardonniez. Mais vous avez maman, elle sera là pour vous.

C'est trop dur à supporter, ce futur dont il parle et où il ne sera pas. Je voudrais qu'il arrête, je voudrais partir, courir dans la rue, retrouver mes amis, ma vie d'avant.

– Et moi aussi. Oui, moi aussi je serai là.

Je ne comprends pas ce qu'il veut dire.

– Je veux que vous fermiez les yeux. Tous les deux. S'il vous plaît.

Maman est dévastée, elle essaie juste de continuer à respirer, inspiration après inspiration.

Nous obéissons, peut-être parce que nous ne voulons plus rien voir.

– À présent lâchez ma main… Et gardez les yeux fermés. Vous ne me voyez plus, n'est-ce pas ? Mais je suis toujours là. Ce sera comme ça… Vous ne me verrez pas et pourtant je serai là. Quelque part dans vos pensées, dans les souvenirs de cet appartement, dans un éclat de rire quand vous vous souviendrez du temps que nous avons passé ensemble. Je serai à vos côtés.

Nous rouvrons les yeux. Il nous regarde. Il n'a pas peur. Il est fort et bienveillant. Oui, c'est bien lui, mon père.

– Vous devriez sortir, maintenant. Je vais dormir un peu.

Lucie comprend dès qu'elle me voit revenir dans le salon. Elle m'enlace, longtemps. Je pensais en avoir fini avec la souffrance, mais elle m'attendait ici, chez moi.

***

Le lendemain, Antoine est venu nous rendre visite, et il m'a aidé à reconstituer les événements : pendant que nous nous cachions au foyer, l'épidémie a cessé de progresser. Bien sûr, les malades sont encore nombreux, mais nous ne sommes plus contagieux. Le virus Zéro, comme, quelques années plus tôt la maladie de la vache folle ou la grippe aviaire, a disparu. Personne ne sait exactement pourquoi il est apparu. Les journalistes avancent des hypothèses que rien ne vient confirmer : mutation génétique d'un virus animal, arme biologique égarée par une armée, ou, plus simplement, effets des nouvelles semences modifiées utilisées pour l'agriculture. Ils interrogent des scientifiques, mais c'est toujours la même réponse : personne n'en sait rien.

Moi, je crois que le Zéro est encore là, tapi au plus profond de nos cellules. Il nous laisse un répit, je ne sais pas pourquoi. Mais rien ne peut disparaître ainsi, sans laisser de traces. Je me souviens d'un cours d'histoire, où le prof nous expliquait que des pays entiers avaient été piégés de mines antipersonnel, enterrées peu profondément sous la surface de la terre. Par millions. Attendant que, simplement, quelqu'un pose un pied dessus. Bien longtemps après la fin de la guerre. Il avait donné des exemples : Afghanistan, Angola, Cambodge. Comme le virus : enfoui, mais prêt à exploser.

La reconstruction a commencé : c'est ce que répètent les hommes politiques à la télévision. Peu à peu, les malades qui ont survécu au virus rentrent chez eux. Les bâtiments officiels rouvrent, et les rues sont rendues à la circulation. Les magasins sont à nouveau approvisionnés. Le silence fait place à la rumeur puis au bruit, et le vacarme dans lequel nous vivons finit par reprendre le dessus. On annonce la réouverture progressive des établissements scolaires. Je recommence à sortir, prudemment, comme si à nouveau on allait venir m'arrêter et m'ordonner de monter dans un bus.

Je passe presque toutes mes journées avec Lucie et je l'attends dans la salle d'attente du psy qui l'aide à supporter les souvenirs de ces nuits d'horreur au foyer.

Un matin, nous marchons jusque chez Matthieu. Lucie reste sur le trottoir quand je sonne. C'est lui qui vient m'ouvrir.

– Enfin ! s'exclame-t-il. Je me demandais où tu étais.

Il ne pense pas à me faire entrer et nous restons sur le pas de la porte. Lui aussi me raconte les dernières semaines en ville, le rationnement, la violence, la mort partout.

– Ton père ne t'a pas mis à l'abri ?

J'espère qu'il n'y a aucun sarcasme dans ma voix, parce que je ne veux plus d'ironie.

– Je suis resté ici, cloîtré, comme tout le monde. Je n'ai recommencé à sortir que quand ça a été fini. Je voulais venir te voir, bien sûr… Mais ça me faisait peur…

Il n'a pas besoin de préciser. Peur que je ne sois pas rentré. Que je ne rentre jamais.

– Et Benjamin ? il demande.

Je lui raconte la camionnette vide au matin, et je devine que le remords ne me laissera plus jamais en paix.

– Il faut aller chez lui, non ?

– Oui. Tu viens avec moi ? J'appelle Franck aussi.

L'après-midi, nous nous retrouvons tous les quatre au pied de l'immeuble. J'hésite de longues secondes avant de sonner à l'Interphone. La porte s'ouvre et nous montons en silence dans l'ascenseur.

La mère de Benjamin n'a pas l'air surprise de nous voir, mais je crois qu'elle aussi a épuisé ses réserves d'émotion. Par la porte entrouverte, elle répond par des hochements de tête à nos questions.

Non, Benjamin n'est pas rentré. Non, elle n'a aucune nouvelle.

Quand nous sommes déjà devant l'ascenseur pour repartir, elle souffle :

– J'espérais qu'il serait avec vous.

Et elle referme la porte. Je sais que je ne reviendrai jamais dans cet appartement, je ne traînerai plus dans la chambre de Benjamin, à partager ses dernières découvertes musicales.

***

Papa est mort trois jours après mon retour. Son enterrement a eu lieu le samedi suivant. Je me souviens à peine de ce 4 juin. Une foule de gens que je ne connais pas se presse dans la petite église. Habillés de noir, comme presque toute la ville à cette époque. On me glisse des mots de réconfort que je ne comprends pas, et je crois que je n'ai pas lâché la main de Lina de toute la cérémonie. Un trou béant au cimetière, et voilà, c'est fini.

Je n'ai aucune idée de comment nous allons continuer à vivre.

Épilogue

Quand on voit ces enfants qui jouent sur les pelouses, ce ballon bleu qui s'envole vers le ciel, quand on sent cette fine bruine qui mouille nos visages, on pourrait croire qu'il ne s'est rien passé. Lucie m'embrasse et nous rejoignons Franck et Matthieu sous le kiosque. Nous nous étreignons en silence, entourés de fantômes. Celui de Lucas, que j'ai cherché pendant des jours. J'ai appelé les hôpitaux, les lycées, sans jamais retrouver sa trace.

Celui de Benjamin qui n'est jamais rentré. Son corps n'a pas été retrouvé. Franck et moi, nous sommes repartis sur les routes que nous avions parcourues mais nous n'avons jamais retrouvé la camionnette Nous avons battu la campagne pendant des heures, nous avons interrogé les fermiers, croyant reconnaître l'endroit sans jamais en être certains. Nous ne pouvons pas croire que c'est fini, et c'est pour ça que nous revenons au parc chaque après-midi. Car un jour il sera là, souriant, il nous accueillera avec une mauvaise blague, nous nous allongerons dans l'herbe et nous prononcerons chaque phrase avec soin pour ne pas gâcher le plaisir de nos retrouvailles.

Marie, elle, s'en est tirée, elle a été évacuée par les soldats juste après l'incendie du camp. Elle prétend ne pas nous reconnaître quand, parfois, nous la croisons sur le cours Mirabeau. Je suppose que les autres sont repartis dans leurs villes ; je n'entendrai sans doute plus jamais parler d'eux.

En septembre, aucun de nous quatre n'a repris le lycée. Nous n'avons pas eu besoin d'en parler, mais nous ne pouvons pas reprendre notre vie d'avant. Nous avons grandi, nous avons survécu sans l'aide des adultes et même malgré eux. Nous reconstruisons nos familles, nous redécouvrons l'affection que nous nous portons, mais il faudra que nous réapprenions la confiance.

Il y a ce nouveau monde à inventer. Le nôtre.

Composé par Nord Compo Multimédia
7, rue de Fives, 59650 Villeneuve-d'Ascq

Achevé d'imprimer en mai 2013
par CPI Firmin Didot au Mesnil-Sur-l'Estrée
Dépôt légal : juin 2013
N° 108657-1 (116803)

Imprimé en France

Maple Library
Phone: 905-653-READ
Check out receipt

Patron: KOSKINA, IVETA
Date: 12/03/2017 2:58 PM

---

1. Les intouchables
Barcode 33288087968436
Due by 12/27/2017

Total 1 article(s)

Total number of items checked-out: 1

Current fees: $ 24.75

To renew: 905-709-0672
www.vaughanpl.info
Text SIGNUP to 647-694-1289
to receive your notices by text.
Have a nice day